Trop et jamais assez

Mary L. Trump

Trop et jamais assez

Comment ma famille a fabriqué
l'homme le plus dangereux du monde

Traduit de l'anglais (États-Unis)
par Valérie Le Plouhinec et Julie Sibony

Albin Michel

© Éditions Albin Michel, 2020
pour la traduction française

Édition originale américaine parue sous le titre :
TOO MUCH AND NEVER ENOUGH
© Compson Enterprises LLC, 2020
Publiée en accord avec l'éditeur original
Simon & Schuster, Inc., New York.
Tous droits réservés, y compris droits de reproduction totale ou partielle,
sous toutes ses formes.

Pour ma fille, Avary,
et mon père

« Cette âme est pleine d'ombre, le péché s'y commet. Le coupable n'est pas celui qui fait le péché, mais celui qui fait l'ombre. »

Victor Hugo, *Les Misérables*

NOTE DE L'AUTRICE

La majeure partie de ce livre est tirée de souvenirs personnels. Pour les événements dont je n'ai pas été le témoin direct, je me suis appuyée sur des conversations et des entretiens – dont beaucoup ont été enregistrés – avec des membres de ma famille, des amis de la famille, des voisins et des associés. J'ai reconstitué certains dialogues grâce à ce dont je me souvenais directement et ce que d'autres m'ont rapporté. Dans les dialogues, mon intention était de recréer l'essence des conversations plutôt que de fournir des citations verbatim. J'ai aussi consulté des documents juridiques, des relevés bancaires, des feuilles d'imposition, des journaux intimes, des documents familiaux, des correspondances, des e-mails, des textos, des photos et d'autres archives.

Pour le contexte général, je me suis référée au *New York Times*, en particulier à l'enquête approfondie publiée le 2 octobre 2018 par David Barstow, Susanne Craig et Russ Buettner ; au *Washington Post* ; à *Vanity Fair* ; à *Politico* ; au site internet du musée TWA ; et à l'ouvrage de

11

Norman Vincent Peale, *La Puissance de la pensée positive*. Pour les informations concernant le parc Steeplechase, je remercie le site internet du Coney Island History Project, le *Brooklyn Paper* et un article du 14 mai 2018 de Dana Schulz sur 6sqft.com. Pour sa théorie de « l'homme épisodique », merci au psychologue Dan P. McAdams. Pour l'histoire familiale et les informations sur les affaires et les crimes présumés de la famille Trump, je dois beaucoup aux articles du regretté Wayne Barrett, de David Corn, de Michael D'Antonio, de David Cay Johnston, de Tim O'Brien, de Charles P. Pierce et d'Adam Serwer. Merci également à Gwenda Blair, à Michael Kranish et à Marc Fisher… mais mon père avait quarante-deux ans, pas quarante-trois, quand il est mort.

Prologue

J'avais toujours aimé mon nom. Enfant, dans les années 1970, quand j'allais en stage de voile l'été, tout le monde m'appelait « Trump », tout court. J'en étais fière, non pas parce que le nom était associé au pouvoir et à l'immobilier (à l'époque, ma famille était inconnue en dehors de Brooklyn et du Queens), mais parce qu'il y avait quelque chose dans sa sonorité qui me plaisait bien, à moi, la solide gamine de six ans qui n'avait peur de rien. Dans les années 1980, lorsque j'étais étudiante et que mon oncle Donald a commencé à le placarder sur tous ses immeubles à Manhattan, mon rapport à ce nom s'est compliqué.

Trente ans plus tard, le 4 avril 2017, j'étais dans un train filant vers Washington DC pour me rendre à un dîner de famille à la Maison-Blanche. Dix jours avant, j'avais reçu par mail une invitation à l'anniversaire commun de mes tantes Maryanne, quatre-vingts ans, et Elizabeth, soixante-quinze ans. Leur frère cadet Donald occupait le Bureau ovale depuis janvier.

En traversant le hall de la gare Union Station, avec sa voûte en plein cintre et son sol de marbre noir et blanc, je suis passée devant un petit stand qui vendait des badges : mon nom dans un cercle barré en rouge, « À BAS TRUMP », « TRUMP DÉGAGE », « TRUMP = CHARLATAN ». J'ai chaussé mes lunettes noires et pressé le pas.

Un taxi m'a conduite à l'hôtel Trump International, où ma famille était gracieusement accueillie pour une nuit. Après être passée à la réception, j'ai parcouru l'atrium et levé les yeux vers la verrière et le ciel bleu. Les triples lustres en cristal suspendus à un réseau de poutrelles diffusaient une lumière douce. D'un côté, des fauteuils, des banquettes et des canapés – dans des tons bleu roi, œuf de merle, ivoire – étaient disposés en petits groupes ; de l'autre, tables et chaises encerclaient un grand bar où je devais retrouver mon frère un peu plus tard. Je m'étais attendue à ce que l'hôtel soit kitsch et clinquant. Ce n'était pas le cas.

Ma chambre aussi était décorée avec goût. Mais mon nom s'étalait partout, sur tout : shampooing TRUMP, après-shampooing TRUMP, chaussons TRUMP, charlotte de douche TRUMP, cirage TRUMP, nécessaire à couture TRUMP, peignoir TRUMP. J'ai ouvert le frigo et j'y ai pris une demi-bouteille de vin blanc TRUMP que j'ai versée dans ma gorge de Trump pour qu'il coure dans mes veines de Trump jusqu'à atteindre le centre du plaisir dans ma cervelle de Trump.

Une heure plus tard, je retrouvais mon frère, Frederick Crist Trump III, que j'appelais Fritz depuis toujours, et sa femme, Lisa. Les autres invités n'ont pas tardé à nous rejoindre : ma tante Maryanne, aînée des cinq enfants de Fred et Mary Trump*, et qui fut une juge respectée à la cour d'appel fédérale ; mon oncle Robert, le bébé de la famille, qui pendant une brève période avait travaillé pour Donald à Atlantic City avant de partir fâché au début des années 1990, et sa compagne ; ma tante Elizabeth, la Trump du milieu, et son mari Jim ; mon cousin David Desmond (unique enfant de Maryanne et aîné des petits-enfants Trump) avec sa femme ; enfin, quelques amis proches de mes tantes. Le seul absent de la fratrie Trump était mon père, Frederick Crist Trump Jr, l'aîné des fils, que tout le monde appelait Freddy. Il était mort depuis plus de trente-cinq ans.

Une fois au complet, nous nous sommes présentés aux agents de sécurité qui attendaient dehors, puis nous sommes entassés dans deux minibus envoyés par la Maison-Blanche, telle une équipe de sport universitaire. Les plus âgés des invités ont eu du mal à négocier les marchepieds. Personne n'était à son aise, serrés comme nous l'étions sur des banquettes dures. Je me suis demandé pourquoi la Maison-Blanche n'avait pas songé à envoyer au moins une limousine pour mes tantes.

Dix minutes plus tard, dans l'allée de la Pelouse sud, deux gardes sont sortis d'une guérite pour inspecter le dessous des véhicules avant de nous ouvrir le portail.

---

* Le lecteur peut se référer à l'arbre généalogique de la famille Trump, p. 333.

Nous sommes descendus des minibus devant un petit bâtiment de sécurité adjacent à l'aile Est, avant d'entrer un par un à l'appel de notre nom. Il nous a fallu encore déposer nos téléphones et nos sacs, et franchir un détecteur de métaux.

Une fois dans la Maison-Blanche, nous nous sommes engagés, par deux ou par trois, dans de longs couloirs dont les fenêtres donnaient sur des jardins et des pelouses, passant devant les portraits grandeur nature des anciennes Premières dames. Je me suis arrêtée devant celui d'Hillary Clinton pour le contempler une minute en silence. Une fois de plus, je me suis demandé comment cela avait pu arriver.

Je n'avais jamais eu aucune raison d'imaginer que je visiterais un jour cet endroit, et encore moins dans ces circonstances. C'était surréaliste. La Maison-Blanche était élégante, imposante et majestueuse, et j'étais sur le point de revoir mon oncle, l'occupant des lieux, pour la première fois depuis huit ans.

Au sortir du couloir sombre, nous avons débouché sous le portique qui entoure la roseraie et nous sommes arrêtés devant le Bureau ovale. Par la porte-fenêtre, j'ai vu qu'une réunion était en cours. Le vice-président, Mike Pence, se tenait en retrait, mais Paul Ryan, président de la Chambre des représentants, le sénateur Chuck Schumer et une douzaine d'autres parlementaires et conseillers étaient réunis autour de Donald, assis derrière le *Resolute desk*, le fameux bureau présidentiel.

Ce tableau m'a rappelé une des tactiques de mon

16

grand-père : il obligeait toujours ses solliciteurs à venir à lui, que ce soit dans son bureau de Brooklyn ou dans sa maison du Queens, et il restait assis en les laissant debout. À la fin de l'automne 1985, après avoir interrompu pendant un an mes études à l'université Tufts, j'avais pris place en face de lui pour lui demander la permission de retourner en cours. Relevant la tête vers moi, il m'avait dit : « C'est idiot. Pour quoi faire ? Tu n'as qu'à te trouver une école de commerce et devenir réceptionniste.

– Parce que je veux décrocher mon diplôme. »

J'avais dû répondre avec une pointe de contrariété, car mon grand-père avait plissé les yeux et m'avait dévisagée une seconde, comme s'il revoyait son jugement. Le coin de sa bouche s'était retroussé dans un rictus dédaigneux, et il avait éclaté de rire.

« La vilaine », avait-il lâché.

Quelques minutes plus tard, l'entretien était clos.

Le Bureau ovale était à la fois plus petit et moins intime que je ne l'avais imaginé. Voyant près de la porte mon cousin Eric, le deuxième fils de Donald, et sa femme Lara, que je n'avais jamais rencontrée, je lui ai lancé : « Bonjour, Eric. Je suis ta cousine Mary.

– Bien sûr, je sais qui tu es.

– Ça fait un bail, ai-je continué. Je crois que la dernière fois qu'on s'est vus, tu étais encore au lycée. »

Il a haussé les épaules. « Sans doute, oui. » Sur ces mots, il s'est éloigné avec Lara sans nous avoir présentées. J'ai regardé autour de moi. Melania, Ivanka, son mari Jared Kushner et Donny – Donald Trump Jr, le fils aîné de mon oncle – étaient arrivés et se tenaient debout à côté de Donald, toujours assis. Mike Pence continuait d'observer la scène sans mot dire, à l'autre bout de la pièce, un sourire presque éteint aux lèvres, tel le chaperon que tout le monde préfère éviter. Je l'ai fixé en espérant croiser son regard, mais il n'a jamais tourné les yeux vers moi.

« Excusez-moi, s'il vous plaît ! a clamé avec entrain la photographe de la Maison-Blanche, une jeune femme menue en tailleur-pantalon de couleur sombre. Regroupez-vous, que je puisse faire quelques photos avant que nous montions. » Elle nous a demandé d'entourer Donald, toujours calé dans son fauteuil. Elle a réglé son appareil. « Un, deux, trois, souriez ! »

Une fois les photos prises, Donald s'est enfin levé et a montré du doigt un cliché en noir et blanc de mon grand-père, dans un cadre posé sur une table derrière le bureau. « Maryanne, elle est pas formidable, cette photo de papa ? »

C'était la même que celle qui était sur la console de la bibliothèque, chez mes grands-parents. On y voyait mon grand-père encore jeune homme, les cheveux bruns, le front commençant à se dégarnir, portant la moustache et arborant un air d'autorité qui n'a jamais vacillé jusqu'au jour où la démence s'est installée. Nous la connaissions par cœur, cette photo.

« Tu devrais peut-être aussi en mettre une de maman, a suggéré Maryanne.

– Très bonne idée, a répliqué Donald comme si cela ne lui avait jamais traversé l'esprit. Que quelqu'un m'apporte une photo de maman. »

Nous avons encore passé quelques minutes dans le Bureau ovale, nous asseyant chacun notre tour derrière le *Resolute desk*. Mon frère a pris une photo de moi ; quand je l'ai regardée plus tard, mon grand-père m'a fait l'effet de flotter derrière moi tel un fantôme.

L'historien de la Maison-Blanche nous a rejoints à la sortie du Bureau ovale et nous avons gagné la Résidence exécutive, au deuxième étage, pour une visite guidée suivie d'un dîner. Une fois en haut, nous sommes allés voir la chambre de Lincoln. Jetant un rapide coup d'œil à l'intérieur, j'ai remarqué avec étonnement une pomme entamée sur la table de chevet. Pendant que l'historien nous racontait des anecdotes survenues dans cette chambre au fil des ans, Donald, qui faisait de temps en temps un geste vague de la main, a déclaré : « Ça n'a jamais été aussi beau depuis l'époque où George Washington vivait ici. » L'historien a poliment omis de signaler que l'édifice n'avait été achevé qu'après la mort du premier président des États-Unis. Notre petit groupe a continué dans le couloir en direction du salon des Traités et de la salle à manger présidentielle.

Donald, posté sur le seuil, saluait les invités à mesure

qu'ils entraient. J'étais dans les derniers, et je ne lui avais pas encore dit bonjour. En me voyant, il a pointé le doigt vers moi avec une expression de surprise, puis m'a assuré : « J'ai spécifiquement demandé que tu sois là. » C'était le genre de choses qu'il disait pour charmer les gens, et il avait le chic pour adapter son commentaire à l'occasion, ce qui était d'autant plus impressionnant que je savais que c'était faux. Il a ouvert les bras, et là, pour la première fois de ma vie, m'a serrée contre lui.

En entrant dans la salle à manger présidentielle, j'ai d'abord été frappée par sa beauté : les boiseries sombres polies à la perfection, la table dressée de manière exquise, la calligraphie manuscrite des marque-place et du menu (salade de laitue iceberg, purée de pommes de terre – des classiques de la famille Trump – et filet de bœuf Wagyu). La deuxième chose que j'ai remarquée était le plan de table. Dans ma famille, chacun pouvait toujours évaluer sa valeur à l'aune de son placement à table, mais cela ne me dérangeait pas : tous ceux avec qui je me sentais à l'aise – mon frère et ma belle-sœur, la belle-fille de Maryanne et son mari – étaient près de moi.

Chaque serveur a apporté une bouteille de vin rouge et une de blanc. Du vrai vin, pas du TRUMP. Voilà qui était inattendu : de toute mon existence, il n'y avait jamais eu une goutte d'alcool à nos réunions de famille. Chez mes grands-parents, on ne servait que du Coca et du jus de pomme.

À la moitié du repas, Jared Kushner a fait irruption dans la pièce. « Oh, regardez ! Jared est rentré de son voyage au Moyen-Orient ! » a lancé Ivanka en tapant dans ses mains, comme si nous ne l'avions pas vu juste avant dans le Bureau ovale. Il s'est approché de sa femme, l'a embrassée rapidement sur la joue, puis s'est penché vers Donald, assis à côté d'elle. Ils se sont entretenus quelques minutes à voix basse. Et Jared est reparti. Il n'a salué personne d'autre, pas même mes tantes. Alors qu'il franchissait le seuil, mon cousin Donny a bondi de sa chaise et lui a emboîté le pas comme un chiot surexcité.

Au moment du dessert, Robert s'est levé, son verre à la main. « C'est un honneur d'être ici avec le président des États-Unis, a-t-il déclaré. Merci, monsieur le président, de nous avoir invités en ces lieux pour célébrer l'anniversaire de nos sœurs. »

J'ai repensé à la dernière fête des Pères que nous avions célébrée en famille, au restaurant Peter Luger, à Brooklyn. À l'époque, comme maintenant, Donald et Rob étaient assis côte à côte. Sans la moindre explication, Donald s'était tourné vers Rob en disant : « Regarde. » Il découvrait ses dents en désignant sa bouche.

« Quoi ? » avait demandé Rob.

Donald, sans répondre, avait encore retroussé ses lèvres et pointé le doigt avec plus d'emphase.

Rob était visiblement perdu. J'ignorais complètement ce qui se passait, mais j'observais la scène avec amusement en sirotant mon Coca.

« Regarde ! avait insisté Donald, les dents serrées. Alors ?

— Mais de quoi tu parles ? » L'embarras de Rob était palpable. Tournant la tête pour s'assurer que personne ne le regardait, il avait chuchoté : « J'ai quelque chose entre les dents ? » Les bols d'épinards à la crème disposés sur la table rendaient cette éventualité tout à fait plausible.

Donald avait cessé ses mimiques. Son expression de profond dédain résumait l'histoire entière de leurs relations. « Je me suis fait blanchir les dents. Qu'est-ce que tu en penses ? » avait-il demandé sèchement.

À la Maison-Blanche, alors que Rob faisait son laïus, Donald lui a envoyé ce même regard dédaigneux, celui que j'avais vu au Peter Luger presque vingt ans auparavant. Puis, Coca Light à la main, il s'est fendu de quelques phrases de pure forme sur l'anniversaire de mes tantes, après quoi il a eu un geste de la main en direction de sa belle-fille. « Lara, là-bas. Franchement, je n'avais aucune idée de qui c'était, celle-là, mais elle a fait un discours formidable pour me soutenir pendant la campagne en Géorgie. » À l'époque, Lara et Eric étaient ensemble depuis presque huit ans : Donald l'avait donc certainement rencontrée, au moins à leur mariage. Mais on aurait pu croire qu'il ignorait complètement qui elle était, jusqu'au jour où elle avait dit un mot gentil sur lui lors d'un meeting électoral. Comme toujours avec Donald, la fable comptait plus

22

que la vérité, facilement sacrifiée si l'on pouvait l'enjoliver.

À son tour, Maryanne a pris la parole : « Je tiens à vous remercier d'avoir fait le déplacement pour fêter nos anniversaires. Que de chemin parcouru depuis le soir où Freddy a renversé un plat de purée sur la tête de Donald parce qu'il se comportait comme un sale gosse ! » Tous ceux qui connaissaient la légendaire anecdote de la purée ont éclaté de rire – tous sauf Donald, qui écoutait les bras croisés, la mine renfrognée, comme chaque fois que Maryanne évoquait l'incident. Cela le contrariait comme s'il était encore ce garçonnet de sept ans. Il était clair que, depuis tout ce temps, l'humiliation lui cuisait toujours autant.

Sans qu'on lui demande rien, mon cousin Donny, qui était revenu parmi nous après avoir poursuivi un moment Jared, s'est levé. Au lieu de porter un toast à nos tantes, il a prononcé une sorte de discours de campagne. « En novembre dernier, les Américains ont vu que quelque chose était en train de se passer et ont voté pour un président dont ils savaient qu'il les comprendrait. Ils ont vu quelle grande famille nous étions, et se sont identifiés à nos valeurs. » J'ai capté le regard de mon frère et levé les yeux au ciel.

J'ai hélé un serveur. « Je peux ravoir du vin ? »

Il est prestement revenu avec deux bouteilles et m'a demandé si je préférais du rouge ou du blanc. « Les deux », ai-je répondu.

Aussitôt le dessert terminé, tout le monde s'est levé.

Il ne s'était écoulé que deux heures depuis notre entrée dans le Bureau ovale, mais le repas était fini et il était temps de partir. Du début à la fin, nous étions restés environ deux fois plus de temps à la Maison-Blanche que nous n'en passions chez mes grands-parents pour Thanksgiving et pour Noël, mais c'était toujours moins que ce que Donald accorderait à Kid Rock, à Sarah Palin et à Ted Nugent deux semaines plus tard.

Quelqu'un a suggéré que nous nous fassions prendre en photo individuellement avec le président (mais pas avec les invitées d'honneur). Mon tour venu, Donald a souri à l'objectif en levant le pouce, mais j'ai vu la fatigue derrière le sourire. L'effort de conserver une façade joviale lui pesait manifestement.

« Ne les laisse pas t'atteindre », lui ai-je dit pendant que mon frère prenait la photo. Son premier conseiller à la sécurité nationale avait été limogé peu avant, et les failles de son mandat commençaient déjà à apparaître.

Il a relevé le menton et serré les dents, ressemblant un instant au fantôme de ma grand-mère. « Ils ne m'auront pas », m'a-t-il répondu.

Lorsque Donald a annoncé qu'il se présentait à la présidentielle, le 16 juin 2015, je n'ai pas pris sa candidature au sérieux. Je pensais que même lui ne la prenait pas au sérieux. Il voulait simplement de la publicité gratuite pour sa marque. Il n'en était pas à son coup d'essai. Lorsqu'il a commencé à grimper dans les sondages, et peut-être à recevoir l'assurance tacite du président russe Vladimir

Poutine que la Russie veillerait à faire pencher la balance en sa faveur, son désir de victoire s'est précisé.

« C'est un clown, a commenté ma tante Maryanne un jour où nous déjeunions ensemble, comme nous le faisions régulièrement à l'époque. Ça n'arrivera jamais. »

J'étais bien d'accord.

Nous avons conclu que sa réputation de star de reality-show sur le retour et d'homme d'affaires raté plomberait sa candidature. « Est-ce qu'il y a quelqu'un pour croire à ses foutaises de soi-disant self-made-man ? Est-ce qu'il a réussi une chose tout seul dans sa vie ? ai-je demandé.

– Tout de même, a répondu Maryanne, sarcastique en diable, il a réussi cinq faillites. »

Quand Donald, au moment de la crise des opiacés, s'est mis à mentionner l'alcoolisme de mon père pour polir ses professions de foi anti-toxicomanie et se donner une apparence de compassion, cela nous a mises en colère toutes les deux.

« Il utilise ton père à des fins politiques, m'a dit Maryanne, et ça, c'est un péché, d'autant plus que c'est Freddy qui aurait dû être la star de la famille. »

Nous pensions que le racisme flagrant affiché lors de l'annonce de sa candidature anéantirait toutes ses chances, mais avons été détrompées lorsque le pasteur Jerry Falwell Jr et d'autres chrétiens évangéliques blancs ont commencé à le soutenir. Maryanne, fervente catholique depuis sa conversion cinq décennies plus tôt, était folle de rage. « Mais nom d'un chien, qu'est-ce qui ne tourne pas rond chez eux ? disait-elle. Les seules fois où Donald est allé à l'église, c'est quand il y avait des caméras. C'est ahurissant. Il n'a aucun principe. Aucun ! »

Rien de ce que Donald a pu dire au cours de sa campagne – depuis le dénigrement de la secrétaire d'État Hillary Clinton, peut-être la candidate à la présidentielle la plus qualifiée de l'histoire du pays, traitée de « vilaine femme », jusqu'à l'imitation moqueuse de Serge F. Kovaleski, un reporter du *New York Times* souffrant de handicap – n'a dérogé à ce que j'attendais de lui. Au contraire, cela me rappelait tous ces repas de famille où j'avais entendu Donald évoquer des femmes qu'il jugeait laides, grosses, répugnantes, ou des hommes, souvent plus accomplis ou plus puissants que lui, qu'il traitait de ratés pendant que mon grand-père, Maryanne, Elizabeth et Robert riaient et renchérissaient. Cette déshumanisation tranquille des autres était courante à la table des Trump. Ce qui m'étonnait, en revanche, c'était qu'il s'en tire perpétuellement sans souffrir d'aucune conséquence.

Puis il a été adoubé candidat officiel du Parti républicain. Tout ce qui aurait dû, à mon avis, le disqualifier ne faisait que renforcer son attrait auprès de sa base électorale. Je ne m'inquiétais toujours pas – j'étais convaincue qu'il ne pourrait jamais être élu – mais l'idée qu'il puisse avoir ne fût-ce qu'une chance me perturbait.

À la fin de l'été 2016, j'ai envisagé de m'exprimer publiquement sur ce qui, d'après ce que je connaissais de lui, rendait Donald totalement incompétent. Il était sorti relativement indemne de la Convention nationale républicaine, où il avait pourtant appelé les « tenants du Deuxième Amendement » à neutraliser Hillary Clinton (sous-entendu : en faisant usage de leur arme à feu). Même son attaque contre Khizr et Ghazala Khan, les parents du capitaine Humayun Khan, tombé en Irak, ne semblait pas avoir écorné sa popularité. Quand les sondages ont révélé que la majorité des républicains continuaient de le soutenir après la publication des rushes de l'émission *Access Hollywood* où on l'entendait tenir des propos plus que salaces, j'ai su que je devais parler.

Je commençais à avoir l'impression de voir l'histoire de ma famille, et le rôle central que Donald y avait joué, se répéter à la puissance mille. Les rivaux de mon oncle dans la course à la présidentielle étaient retenus par des exigences plus élevées, comme mon père l'avait toujours été, tandis que Donald pouvait impunément – et même avec profit – afficher un comportement de plus en plus grossier, irresponsable, méprisable. *Ce n'est pas possible que ça recommence*, me disais-je. Et pourtant.

Cela a échappé aux médias, mais pas un membre de la famille de Donald, en dehors de ses enfants, de son gendre et de son épouse actuelle, n'a dit un mot en sa faveur pendant toute la campagne. Maryanne m'a confié qu'elle s'estimait heureuse que sa position d'ancienne juge fédérale lui impose un devoir de réserve. Étant donné son statut de sœur de Donald et sa réputation professionnelle, elle était peut-être la seule personne dans le pays qui, en pointant son absence totale de qualification pour le poste, aurait pu faire une différence. Mais elle avait ses propres secrets à garder et je n'ai pas été complètement étonnée, après l'élection, lorsqu'elle m'a dit avoir voté pour son frère « par loyauté familiale ».

Grandir dans la famille Trump, particulièrement en tant qu'enfant de Freddy, n'allait pas sans nombre de difficultés. À certains égards, j'ai été très privilégiée. J'ai fréquenté d'excellentes écoles privées et joui pratiquement toute ma vie de la sécurité que procure une assurance santé de premier ordre. Pourtant, tous les membres de notre famille, excepté Donald, vivaient dans la peur de manquer. Après la mort de mon grand-père en 1999, j'ai appris que toute mention de mon père avait été gommée du testament, comme si le fils aîné de Fred Trump n'avait jamais existé, et un procès en a découlé. À la réflexion, j'ai fini par conclure que si je m'exprimais publiquement sur mon oncle je serais décrite comme une nièce frustrée, déshéritée, cherchant à s'enrichir ou à régler des comptes.

Pour comprendre ce qui a amené Donald – et nous tous – là où nous en sommes, il faut commencer par mon grand-père et son propre besoin de reconnaissance. Un besoin qui l'a poussé à encourager le dangereux penchant de Donald pour l'hyperbole et pour une confiance en soi imméritée, laquelle dissimulait des faiblesses et des complexes pathologiques.

Dès l'enfance, Donald a été forcé d'assurer sa propre promotion : premièrement, parce qu'il devait faire croire à son père qu'il était meilleur et plus sûr de lui que son fils aîné Freddy ; deuxièmement, parce que Fred l'exigeait de lui ; et enfin parce qu'il s'est mis à croire à ses propres exagérations, même s'il soupçonnait paradoxalement, à un niveau très profond, que personne n'était dupe. Au moment de l'élection, Donald répondait par la colère à toute contestation de son sentiment de supériorité. Sa peur et ses vulnérabilités étaient si efficacement enfouies qu'il n'avait aucune conscience de leur existence. C'est toujours le cas.

Dans les années 1970, alors que mon grand-père préférait déjà Donald et le mettait en avant depuis longtemps, les médias new-yorkais, reprenant le flambeau, se mirent à amplifier l'autopromotion creuse de ce dernier. Dans les années 1980, les banques leur emboîtèrent le pas en commençant à financer ses entreprises hasardeuses. Leur volonté (devenue nécessité) d'encourager ses prétendues réussites était guidée par l'espoir de recouvrer leurs pertes.

Après une décennie passée par Donald à patauger, accablé par ses faillites et réduit à faire la retape pour une série de produits minables allant des steaks à la vodka, le producteur de télévision Mark Burnett lui donna encore une chance. L'émission *The Apprentice* jouait sur son image de négociateur-culotté-qui-s'est-fait-tout-seul, un mythe créé cinquante ans plus tôt par mon grand-père et qui, de manière assez stupéfiante étant donné le vaste corpus de preuves contraires, avait survécu pratiquement intact au changement de millénaire. Au moment où Donald annonça sa candidature à la nomination par le Parti républicain en 2015, une bonne proportion de la population américaine était conditionnée à croire à ce mythe.

Aujourd'hui encore, le Grand Old Party et les chrétiens évangéliques continuent de colporter les mensonges, faux-semblants et inventions qui constituent l'essence même de mon oncle. Ceux qui ne sont pas dupes – comme le chef de la majorité au Sénat Mitch McConnell –, les vrais croyants – tels le représentant Kevin McCarthy, le secrétaire d'État Mike Pompeo ou le ministre de la Justice William Barr –, et encore d'autres, trop nombreux pour être énumérés ici, sont devenus, volontairement ou non, complices de leur perpétuation.

Aucun des frères et sœurs Trump ne s'est tiré indemne de la sociopathie de mon grand-père et des maladies – tant physiques que psychologiques – de ma grand-mère, mais mon oncle Donald et mon père, Freddy, en ont souffert plus que les autres. Pour dresser le tableau complet de la personnalité de Donald, de ses psychopathologies et des ramifications de son comportement dysfonctionnel, il faut en passer par une histoire complète de la famille.

Cela fait maintenant trois ans qu'un défilé de commentateurs, de psychologues du dimanche et de journalistes manquent leur cible en utilisant des expressions comme « narcissisme malfaisant » et « trouble de la personnalité narcissique » pour essayer de comprendre le comportement souvent bizarroïde et destructeur de mon oncle. Je n'ai aucun état d'âme à qualifier Donald de narcissique – il remplit les neuf critères énumérés dans le *Manuel diagnostique et statistique des troubles mentaux (DSM-5)* –, mais le diagnostic a ses limites.

J'ai obtenu mon doctorat de psychologie clinique au Derner Institute of Advanced Psychological Studies, et la préparation de ma thèse m'a amenée à travailler pendant un an au service des admissions du Manhattan Psychiatric Center, un établissement d'État où mon poste consistait à diagnostiquer, à évaluer et à traiter des patients parmi les plus malades, les plus vulnérables qui soient. En plus d'avoir enseigné pendant plusieurs années, comme professeure adjointe, la psychologie en troisième cycle universitaire, avec des cours sur le traumatisme, la psychopathologie et la psychologie du développement, j'ai pratiqué la thérapie et les tests psychologiques pour un dispensaire spécialisé dans les addictions.

Ces expériences m'ont démontré à maintes reprises qu'un diagnostic ne peut être posé dans le vide. Donald présente-t-il d'autres symptômes qui nous échappent ? D'autres troubles pourraient-ils mieux expliquer son cas ? Peut-être. On pourrait avancer qu'il remplit aussi les critères du trouble de la personnalité antisociale, qui sous sa forme la plus grave est généralement considéré comme une sociopathie, mais peut de même décrire une criminalité chronique, une arrogance et un mépris des droits d'autrui. Observe-t-on chez lui une comorbidité ? Probablement. Il se peut que Donald réponde également à certains critères du trouble de la personnalité dépendante, dont les principaux marqueurs sont l'incapacité à prendre des décisions ou à endosser une responsabilité, la difficulté à rester seul et le fait de recourir à des mesures extrêmes pour obtenir le soutien d'autrui. Doit-on envisager d'autres facteurs ? Absolument. Il est possible qu'il souffre d'un trouble de l'apprentissage jamais diagnostiqué qui, pendant des décennies, a gêné sa capacité à traiter les informations. On raconte aussi qu'il boit plus de douze Coca-Cola Light par jour et qu'il dort très peu. Souffre-t-il d'un trouble du sommeil lié à l'ingestion d'une substance (dans son cas, la caféine) ? Son régime alimentaire est calamiteux et il ne fait pas d'exercice, ce qui peut contribuer à d'autres troubles éventuels, ou en tout cas exacerber les siens.

En fin de compte, les pathologies de Donald sont si complexes, et ses comportements si souvent inexplicables, qu'un diagnostic exact et complet exigerait toute une batterie de tests psychologiques et neuropsychologiques qu'il ne passera jamais. À l'heure actuelle, on ne peut pas évaluer son fonctionnement au quotidien parce qu'à la Maison-Blanche il est pour ainsi dire dans une cellule capitonnée. Il l'a été pendant l'essentiel de sa vie d'adulte, si bien qu'il est impossible de savoir comment il s'épanouirait, ou même comment il survivrait, seul dans le monde réel.

À la fin du dîner d'anniversaire de mes tantes en 2017, alors que nous faisions la queue pour les photos, j'ai bien vu que Donald subissait un niveau de stress qu'il n'avait jamais connu. Ces trois dernières années, alors que les pressions qui s'exerçaient sur lui continuaient de croître, le fossé entre le degré de compétence requis pour diriger un pays et son incompétence à lui n'a fait que s'élargir, révélant son manque de lucidité de manière plus criante que jamais.

Jusqu'à récemment, la stabilité de l'économie et l'absence de crises graves avaient préservé un grand nombre d'entre nous – pas tout le monde, loin s'en faut – des pires effets de ses pathologies. Mais la pandémie incontrôlée du Covid-19, la perspective d'une récession économique, l'aggravation des fractures sociales et politiques, due au penchant de Donald pour la division, et une incertitude dévastatrice quant à l'avenir du pays ont créé les conditions idéales pour des catastrophes que nul n'est moins apte à gérer que mon oncle. Il faudrait pour cela du courage, de la force de caractère, du respect pour les experts, et suffisamment de confiance en soi pour assumer ses responsabilités et rectifier le tir après avoir admis ses erreurs. Il n'arrive plus à contrôler les situations défavorables par le mensonge, le baratin et le brouillage des pistes. Ne lui reste que l'impuissance au milieu des tragédies que nous affrontons en ce moment. Sa mauvaise gestion de la catastrophe en cours, flagrante et possiblement intentionnelle, a provoqué un niveau d'opposition et de critique qu'il n'avait jamais connu, augmentant son agressivité et son besoin de revanche mesquine, qu'il exprime en refusant de distribuer des fonds vitaux, des équipements de protection et des respirateurs – pourtant payés par le contribuable – aux États dont les gouverneurs ne lui lèchent pas suffisamment les bottes.

Dans le film de 1994 inspiré du roman de Mary Shelley, le monstre de Frankenstein disait : « Je sais que pour m'attirer la sympathie d'un seul être vivant je ferais la paix avec tous. J'ai en moi un amour que les gens comme vous ne peuvent imaginer qu'à grand-peine et une rage à laquelle vous ne pourriez croire. Si je ne puis satisfaire cet amour, je déchaînerai la rage. » Après avoir cité cet extrait, Charles P. Pierce écrivait dans la revue *Esquire* : « [Donald Trump] ne s'encombre pas de doutes sur ce qu'il crée autour de lui. Il est fier de son monstre. Il se glorifie de sa colère et de ses destructions et, s'il ne peut se figurer son amour, il croit de tout son cœur en sa rage. Il est un Frankenstein sans conscience. »

Cette citation aurait décrit avec encore plus de justesse le père de Donald, Fred, à cette différence cruciale près : le monstre de Fred – Donald, le seul de ses enfants qui ait compté pour lui – allait devenir impossible à aimer en raison même de la préférence qu'il lui accordait. Au bout du compte, il n'y aurait pas d'amour du tout pour Donald, rien que cette soif atroce. La rage, ayant grandi sans entraves, en viendrait à éclipser tout le reste.

Quand Rhona Graff, l'éternel cerbère de Donald, a envoyé à ma fille et à moi-même une invitation pour la soirée électorale au QG de mon oncle à New York, j'ai décliné. Je n'aurais pas pu cacher mon euphorie au moment de la victoire d'Hillary Clinton, et je ne voulais pas me montrer impolie. À cinq heures le lendemain matin, deux heures seulement après l'annonce du résultat opposé, je déambulais chez moi, aussi traumatisée que nombre de mes semblables, mais d'une manière plus intime : j'avais l'impression que 62 979 636 d'électeurs avaient choisi de transformer le pays en une version géante de ma famille dysfonctionnelle.

Un mois après l'élection, je regardais encore compulsivement les infos et mon compte Twitter, anxieuse et incapable de me concentrer sur quoi que ce soit d'autre. Même si rien de ce que faisait Donald ne m'étonnait, la rapidité et l'intensité avec lesquelles il avait entrepris d'infliger ses pires pulsions au pays – ses mensonges à propos du volume de la foule lors de sa cérémonie d'intronisation, ses jérémiades sur la manière dont la presse le traitait, l'abrogation des mesures de protection de l'environnement, son offensive contre l'Affordable Care Act (le nom officiel de l'« Obamacare ») pour priver des millions de gens d'une couverture santé abordable, l'interdiction raciste faite aux musulmans d'entrer sur le territoire : tout cela m'accablait. Les choses les plus insignifiantes – voir la tête de Donald ou entendre mon nom, ce qui m'arrivait des dizaines de fois par jour – me ramenaient à l'époque où mon père s'était flétri et avait dépéri pour finir écrasé par la dureté et le mépris de mon grand-père. Je l'avais perdu alors qu'il n'avait que quarante-deux ans et moi seize. L'horreur que m'inspirait la cruauté de Donald était décuplée à présent que ses actes se traduisaient par des mesures politiques affectant des millions de personnes.

Donald a baigné toute sa vie dans l'ambiance de division instaurée par mon grand-père dans la famille, et il continue à en tirer profit, aux dépens de tous les autres. La division met le pays à genoux, comme mon père en son temps, nous affectant tous sans que Donald change. Elle est en train d'affaiblir notre foi dans la bonté ou le pardon, autant de concepts qui n'ont jamais eu le moindre sens pour lui. Son administration et son parti se sont soumis à sa politique du grief et du « tout est permis ». Pire : Donald, qui ne comprend rien à l'histoire, aux principes constitutionnels, à la géopolitique, à la diplomatie (ni à rien d'autre, pour tout dire) et qui n'a jamais été encouragé à cultiver ces savoirs, a évalué toutes les alliances du pays, et tous nos programmes sociaux, uniquement à travers le prisme de l'argent, comme son père lui avait appris à le faire. Les coûts et les bénéfices de la gouvernance ont été considérés d'un point de vue purement financier, comme si le Trésor était sa tirelire personnelle. À ses yeux, tout dollar qui sort est une perte, tout dollar économisé un gain. Au milieu d'une abondance obscène, un seul homme, employant tous les leviers du pouvoir et profitant de tous les avantages à sa disposition, allait se servir lui-même et – sous conditions – en faire profiter sa famille immédiate, ses complices et ses flagorneurs ; quant aux autres, tant pis pour eux. Il n'y en aurait jamais assez pour tout le monde, et c'était exactement ainsi que mon grand-père avait régné sur notre famille.

Il est extraordinaire de constater que, malgré l'attention et la couverture médiatique reçues par Donald ces cinquante dernières années, le regard posé sur lui a globalement été très peu critique. Si les remarques et les blagues sur ses défauts et ses comportements aberrants n'ont pas manqué, on ne s'est pas donné le mal de comprendre non seulement pourquoi il est devenu ce qu'il est mais comment chaque échec l'a hissé vers les sommets en dépit d'un manque d'aptitudes manifeste.

Donald, en un sens, a toujours été assisté, protégé de ses propres limites ou de la nécessité de réussir seul dans le monde. Jamais on n'a exigé de lui un travail honnête, et, si graves qu'aient été ses échecs, il en a été récompensé de manière presque inimaginable. Il continue d'être préservé contre ses propres catastrophes à la Maison-Blanche, où une clique de fidèles applaudit chacune de ses déclarations ou dissimule ses éventuelles négligences criminelles en les normalisant jusqu'à nous rendre insensibles à l'accumulation des transgressions. Mais désormais, les enjeux sont élevés comme jamais : c'est littéralement une question de vie ou de mort. Contrairement à ce qu'il a connu toute sa vie, ses défaillances ne peuvent plus être cachées ni ignorées, parce qu'elles nous menacent tous.

Quoi qu'en pensent mes oncles et tantes, je ne publie pas ce livre pour l'appât du gain ou par désir de vengeance. Si telle avait été mon intention, j'aurais déjà écrit sur notre famille il y a des années, lorsqu'il était encore impossible de prévoir que Donald s'appuierait sur sa réputation d'homme d'affaires accumulant les faillites et de présentateur de reality-show ringard pour se hisser jusqu'à la Maison-Blanche ; je l'aurais fait à une époque où c'était plus sûr, parce que mon oncle n'était pas en position de menacer ou de mettre en danger les lanceurs d'alerte et les détracteurs. Les événements des trois dernières années, cependant, m'ont forcé la main, et je ne peux plus garder le silence. D'ici à ce que ce livre soit publié, des centaines de milliers de vies américaines auront été sacrifiées sur l'autel de son orgueil démesuré et de son ignorance volontaire. Si un second mandat lui est accordé, ce sera la fin de la démocratie américaine.

Nul ne sait mieux que les membres de sa famille comment Donald est devenu ce qu'il est. Malheureusement, la plupart continuent de se taire, par loyauté ou par peur. Je ne suis entravée ni par l'une ni par l'autre. En plus des témoignages directs que je peux apporter en tant que fille de mon père et seule nièce de mon oncle, je bénéficie de ma perspective professionnelle de psychologue clinicienne. *Trop et jamais assez*, c'est l'histoire de la famille la plus visible et la plus puissante du monde. Et je suis la seule Trump qui se porte volontaire pour la raconter.

J'espère que ce livre mettra fin aux commentaires évoquant les « stratégies » ou les « objectifs » de notre actuel président, comme s'il obéissait à quelques principes directeurs. Il n'en est rien. L'ego de Donald est et a toujours été une barrière fragile et défectueuse entre lui et le monde réel, qu'il n'a jamais eu à affronter par lui-même grâce à l'argent et au pouvoir de son père. Donald a toujours eu besoin de perpétuer la fiction, inventée par mon grand-père, selon laquelle il était fort, intelligent et extraordinaire en tout point, car affronter la vérité – qu'il n'est rien de tout cela – était trop terrifiant pour lui.

Donald, suivant l'exemple de mon grand-père et bénéficiant de la complicité, du silence et de l'inaction de ses frères et sœurs, a détruit mon père. Je ne peux pas le laisser détruire mon pays.

I

Cruauté délibérée

1

La Maison

« Papa, y a maman qui saigne ! »

Ils occupaient la « Maison », comme était surnommée la résidence de mes grands-parents, depuis moins d'un an, et elle ne leur était pas encore complètement familière, surtout en pleine nuit, si bien que lorsque la petite Maryanne, douze ans, trouva sa mère évanouie dans une des salles de bains de l'étage – pas la principale, mais celle que sa sœur et elle partageaient au bout du couloir –, elle fut d'autant plus désorientée. Il y avait du sang partout sur le sol. La frayeur de Maryanne fut si grande qu'elle surmonta sa réticence habituelle à déranger son père dans sa chambre et traversa la maison en courant pour aller le réveiller.

Fred sortit du lit, se hâta dans le couloir et trouva son épouse inconsciente. Suivi de près par Maryanne, il retourna aussitôt dans sa chambre, où il y avait un téléphone, et passa un coup de fil.

Déjà très influent, Fred avait des relations à l'hôpital de Jamaica et on le mit immédiatement en contact avec quelqu'un qui pourrait leur envoyer une ambulance à la Maison et faire en sorte que les meilleurs médecins les attendent à leur arrivée aux urgences. Fred expliqua la situation du mieux qu'il put à son interlocuteur. Maryanne l'entendit prononcer le terme « menstruation », un mot inconnu qui lui parut étrange dans la bouche de son père.

Peu après son admission à l'hôpital, Mary dut subir une hystérectomie en urgence lorsque les médecins s'aperçurent que de graves complications post-partum n'avaient pas été diagnostiquées après la naissance de Robert neuf mois plus tôt. L'intervention provoqua une infection abdominale, suivie de nouvelles complications.

Depuis ce qui deviendrait sa place habituelle près de la table du téléphone dans la bibliothèque, Fred s'entretint brièvement avec un des médecins et, après avoir raccroché, appela Maryanne à venir le rejoindre.

« Ils m'ont dit que ta mère ne passerait pas la nuit », annonça-t-il à sa fille.

Un peu plus tard, alors qu'il partait vers l'hôpital pour être au chevet de sa femme, il ajouta : « Va à l'école demain. Je t'appellerai s'il y a du nouveau. »

Elle comprit le sous-entendu : je t'appellerai si ta mère meurt.

Maryanne passa la nuit à pleurer seule dans sa chambre tandis que ses frères et sœur cadets dormaient dans leur lit, ignorant la tragédie qui se jouait. Elle alla à l'école le lendemain, la peur au ventre. James Dixon, le directeur de Kew-Forest, un établissement privé qu'elle avait commencé à fréquenter lorsque son père en avait rejoint le conseil d'administration, vint la chercher pendant l'heure d'étude. « On te demande au téléphone dans mon bureau. »

Maryanne était persuadée que sa mère était morte. Le trajet jusqu'au bureau du directeur fut comme une marche vers l'échafaud. Du haut de ses douze ans, elle était obsédée par l'idée qu'elle allait devoir servir de mère de substitution à quatre enfants.

Quand elle prit le combiné, son père dit simplement : « Elle va s'en sortir. »

Mary allait subir deux autres opérations la semaine suivante, mais en effet elle s'en sortit. L'entregent de Fred, qui avait permis à sa femme d'avoir l'équipe médicale la plus compétente et les meilleurs soins, lui avait sans doute sauvé la vie. Mais la route serait longue jusqu'au rétablissement complet.

Pendant six mois, Mary fit des séjours répétés à l'hôpital. Les conséquences à long terme sur sa santé furent importantes. Elle finit par développer une grave ostéoporose due à la chute brutale d'œstrogènes causée par son ablation des ovaires et de l'utérus, une opération chirurgicale courante à l'époque mais souvent inutile. De ce fait, elle souffrit toute sa vie de fractures spontanées à cause de ses os de plus en plus fragilisés.

Avec un peu de chance, chacun a dans sa tendre enfance au moins un parent disponible sur le plan affectif qui satisfait ses besoins et répond à son désir d'attention. Être câliné et rassuré, voir ses émotions prises en compte et ses chagrins consolés sont des éléments essentiels au bon développement des jeunes enfants. Ce genre d'attention produit un sentiment de sécurité qui au bout du compte nous permet d'explorer le monde autour de nous sans peur excessive ni angoisse incontrôlable, car nous savons que nous pourrons toujours compter sur le soutien indéfectible d'au moins une personne.

L'effet miroir, le processus par lequel un parent à l'écoute reflète, accueille puis renvoie au bébé ses propres sentiments, est un autre aspect crucial de l'épanouissement du jeune enfant. Sans cet effet miroir, les enfants se voient privés d'informations primordiales concernant à la fois le fonctionnement de leur esprit et la compréhension du monde. Tout comme l'attachement sécurisant à une personne référente conduit à un plus haut degré d'intelligence affective, l'effet miroir est la clé de l'empathie.

Mary et Fred furent des parents problématiques dès le départ. Ma grand-mère me parlait rarement de ses propres parents ou de son enfance, si bien que j'en suis réduite à faire des conjectures. Elle était la dernière d'une fratrie de dix – elle avait vingt et un ans de moins que l'aîné et quatre de moins que l'avant-dernier –, et elle avait grandi au début des années 1910 dans un environnement souvent hostile. Que ce soit parce que ses propres besoins n'avaient pas été suffisamment comblés quand elle était jeune ou pour une autre raison que j'ignore, c'était le genre de mère qui utilisait ses enfants pour se réconforter plutôt qu'*elle* ne les réconfortait. Elle s'en occupait quand ça lui convenait et non quand eux en avaient besoin. Souvent instable et en quête d'attention, prompte à s'apitoyer sur son sort et à jouer les martyres, elle se faisait fréquemment passer avant les autres. Surtout quand il s'agissait de ses fils, elle se comportait comme si elle ne pouvait rien pour eux.

Pendant et après ses hospitalisations, l'absence de Mary – littérale et affective – créa un vide dans la vie de ses enfants. Si dur que cela ait dû être pour Maryanne, Freddy et Elizabeth, ils étaient assez grands pour comprendre ce qui se passait et, dans une certaine mesure, pour s'occuper d'eux-mêmes. Mais l'impact fut particulièrement terrible pour Donald et Robert qui, respectivement âgés de deux ans et demi et de neuf mois, étaient les plus vulnérables des cinq, d'autant qu'il n'y avait personne d'autre pour combler le vide. La gouvernante à demeure était vraisemblablement dépassée par le volume des tâches ménagères. Leur grand-mère paternelle, qui vivait non loin, leur préparait des repas, mais elle était aussi sèche et peu affectueuse que son fils. Quand Maryanne n'était pas à l'école, c'était à elle qu'incombait une bonne partie de la responsabilité de ses frères et sœur (en tant que garçon, Freddy n'était pas mis à contribution). Elle leur donnait le bain, les préparait pour le coucher, mais à douze ans elle ne pouvait guère en faire plus. En somme, les cinq enfants n'avaient pas de mère.

Si Mary réclamait beaucoup d'attention pour elle-même, Fred semblait au contraire n'avoir strictement aucun besoin affectif. C'était en vérité un sociopathe à haut niveau de fonctionnement. Bien que peu répandue, la sociopathie n'est pas un trouble rare puisqu'il affecte trois pour cent de la population. Soixante-quinze pour cent des personnes diagnostiquées sont des hommes. Parmi les symptômes de la sociopathie, on peut citer un manque d'empathie, une facilité à mentir, une indifférence au bien et au mal, un comportement violent et un manque d'intérêt pour les droits d'autrui. Avoir un parent sociopathe, surtout si personne d'autre n'est là pour en atténuer les effets, est quasiment la garantie de graves perturbations dans la façon dont les enfants se comprennent eux-mêmes, régulent leurs émotions et interagissent avec le monde. Ma grand-mère n'était pas armée pour affronter les problèmes causés dans son mariage par la dureté, l'indifférence et l'autoritarisme de son époux. L'absence de vraie compassion humaine chez Fred, sa rigidité en tant que parent et mari et sa croyance sexiste en l'infériorité innée des femmes donnaient sans doute à Mary le sentiment d'être livrée à elle-même.

Puisque Mary était absente aussi bien affectivement que physiquement à cause de ses problèmes de santé, Fred devint, par défaut, le seul parent disponible, mais il serait pourtant erroné de le voir comme un père. Il considérait que s'occuper de jeunes enfants n'était pas son boulot et se consacrait douze heures par jour et six jours par semaine à son travail chez Trump Management, comme si ses enfants pouvaient se gérer seuls. Il se concentrait sur ce qui était important *pour lui* : ses affaires de plus en plus florissantes, qui à l'époque consistaient à développer Shore Haven et Beach Haven, deux énormes complexes résidentiels à Brooklyn, d'une envergure jusque-là inédite dans sa vie.

Encore une fois, c'est sans doute Donald et Robert qui étaient dans la position la plus précaire face au manque d'intérêt de Fred. Chez les jeunes enfants, tout comportement vise une forme d'attachement ; il s'agit d'obtenir une réaction positive, rassurante, de la part de la personne référente : un sourire pour provoquer un sourire, des larmes pour avoir un câlin. Même dans des circonstances normales, Fred aurait vu comme une contrariété toute expression de ce genre, mais Donald et Robert étaient probablement encore plus en demande dans la mesure où leur mère leur manquait et où ils étaient profondément affectés par son absence. Pourtant, plus grande était leur détresse, plus Fred les rabrouait. Il n'aimait pas qu'on exige des choses de lui, et l'agacement suscité par les attentes de ses enfants créait une tension dangereuse dans la famille Trump : par leurs comportements biologiquement conçus pour déclencher chez leurs parents des réactions apaisantes, réconfortantes, les deux garçons provoquaient au contraire la colère ou l'indifférence de leur père alors qu'ils étaient le plus vulnérables. Pour Donald et Robert, exprimer un besoin devint synonyme d'humiliation, de désespoir et de délaissement. Parce que

Fred ne voulait pas être dérangé quand il était chez lui, il avait intérêt à ce que ses enfants apprennent d'une façon ou d'une autre à n'avoir besoin de rien.

Le mode d'éducation de Fred ne faisait qu'exacerber les effets négatifs de l'absence de Mary. En conséquence, ses enfants s'isolèrent non seulement du reste du monde mais aussi les uns des autres. À partir de là, il allait devenir de plus en plus difficile pour eux de trouver de la solidarité auprès d'autres personnes, ce qui est l'une des raisons pour lesquelles les frères et sœurs de Freddy finirent par l'abandonner ; prendre sa défense, voire l'aider, aurait risqué de susciter la colère de leur père.

Lorsque Mary tomba malade et que Donald perdit soudain son principal moyen d'avoir un peu de réconfort et d'interaction humaine, non seulement il n'y eut personne pour l'aider à comprendre ce qui lui arrivait, mais Fred devint l'unique individu sur lequel il pouvait compter. Les besoins de Donald, déjà satisfaits de manière aléatoire avant la maladie de sa mère, ne l'étaient quasiment plus du tout par son père. Que Fred soit, par défaut, sa source première de consolation alors qu'il était bien plus susceptible d'être une source de crainte ou de rejet plaçait Donald dans une position insupportable : être entièrement dépendant de son père, qui était aussi la cause de sa terreur.

La maltraitance infantile est, en quelque sorte, l'expérience du « trop » ou du « pas assez ». Donald vécut directement le « pas assez » à travers la perte du lien avec sa mère dans une phase cruciale de son développement, ce qui fut pour lui un traumatisme profond. Du jour au lendemain, ses besoins n'étaient plus satisfaits, ses peurs et ses désirs plus apaisés. Abandonné par sa mère pendant au moins un an, avec un père incapable non seulement de répondre à ses besoins mais aussi de lui procurer un sentiment de sécurité et d'amour, de le valoriser et de lui servir de miroir, Donald souffrit de privations qui allaient le marquer à vie. Les traits de personnalité qui en découlèrent – des manifestations de narcissisme, de brutalité, de grandiloquence – finirent par attirer l'attention de mon grand-père, mais pas de façon à réparer quoi que ce soit de l'horreur qui avait précédé. En grandissant, Donald fut ensuite exposé par procuration au « trop » de mon grand-père lorsqu'il se retrouva témoin de ce qui arriva à Freddy quand ce dernier fut l'objet de trop d'attention, de trop d'attentes et, pire encore, de trop d'humiliations.

Dès le départ, l'égoïsme de Fred faussa ses priorités. Sa façon de s'occuper – si l'on peut dire – de ses enfants reflétait ses propres besoins, pas les leurs. L'amour ne signifiait rien pour lui et il ne pouvait pas compatir à leur sort, ce qui est l'une des caractéristiques essentielles des sociopathes ; il attendait d'eux qu'ils soient obéissants, point final. Les enfants ne font pas ce genre de distinctions, et les siens étaient persuadés que leur père les aimait ou qu'ils pouvaient d'une manière ou d'une autre gagner son amour. Mais ils savaient aussi, ne serait-ce qu'inconsciemment, que l'« amour » de leur père, tel qu'ils en faisaient l'expérience, était entièrement conditionnel.

Maryanne, Elizabeth et Robert, à des degrés divers, reçurent le même traitement que Donald, car Fred ne s'intéressait pas aux enfants tout court. Si son fils aîné et homonyme eut droit à l'attention paternelle, c'est seulement parce qu'il était destiné à perpétuer l'héritage de Fred.

Pour s'en sortir, Donald se forgea des défenses puissantes mais primitives, marquées par une hostilité croissante envers les autres et une apparente indifférence à l'absence maternelle et à la négligence paternelle. Cette indifférence se transforma peu à peu en une sorte de handicap acquis : tout en le protégeant des effets les plus durs de sa douleur, elle lui rendit extrêmement difficile (et, à long terme, je dirais impossible) de voir ses besoins affectifs comblés : il excella de plus en plus à donner l'impression qu'il n'en avait pas. En lieu et place de ces besoins se développèrent un sentiment d'injustice et des comportements – dont l'agressivité et le manque de respect – qui remplirent leur rôle sur le moment mais devinrent plus problématiques au fil du temps. Avec le soin et l'attention nécessaires, ces comportements auraient pu être surmontés. Malheureusement pour Donald et le reste du monde, ils se cristallisèrent en traits de personnalité car Fred, lorsqu'il commença à s'intéresser à ce deuxième fils tapageur et difficile, se mit à les apprécier. En d'autres termes, Fred Trump en vint à valider, à encourager et à défendre tout ce qui rendait Donald fondamentalement antipathique et qui était en partie la conséquence directe de sa maltraitance.

Mary ne se rétablit jamais complètement. Déjà agitée, elle devint franchement insomniaque. Les aînés la croisaient errant dans la Maison à n'importe quelle heure, tel un spectre silencieux. Une nuit, Freddy la découvrit perchée sur une échelle en train de repeindre le couloir. Le matin, ses enfants la trouvaient parfois évanouie dans des endroits improbables ; elle termina à l'hôpital plus d'une fois. Cela finit par faire partie du quotidien de la Maison. Si Mary se faisait soigner pour ses souffrances physiques, personne ne s'occupait des problèmes psychologiques sous-jacents qui la poussaient ainsi à se mettre dans des situations à risque.

Au-delà des blessures occasionnelles de sa femme, Fred n'avait conscience de rien de tout cela et n'aurait jamais reconnu les effets que pouvait avoir son style particulier d'éducation sur ses enfants, ni alors ni par la suite, même s'il les avait remarqués. De son point de vue, il avait été brièvement confronté aux limites de sa richesse et de son pouvoir, qui ne purent résoudre les graves problèmes de santé de sa femme. Mais, au bout du compte, les soucis médicaux de Mary n'étaient qu'un petit accroc dans le grand agencement de l'univers. Une fois qu'elle fut en voie de guérison et que ses projets immobiliers de Shore Haven et de Beach Haven, deux réussites phénoménales, furent quasiment achevés, tout sembla de nouveau sourire à Fred.

Quand le petit Freddy Trump, neuf ans, demanda pourquoi sa mère, alors très enceinte, avait autant grossi, la conversation s'interrompit brusquement à la table du dîner. On était en 1948 et la famille Trump, qui comptait désormais quatre enfants – Maryanne, onze ans ; Freddy ; Elizabeth, cinq ans ; et Donald, un an et demi –, devait quelques semaines plus tard emménager dans la maison de vingt-trois pièces que Fred était en train de construire. Mary plongea le nez dans son assiette et la mère de Fred, qui s'appelait aussi Elizabeth et leur rendait visite presque tous les jours, s'arrêta de manger.

L'étiquette était stricte à la table de mes grands-parents, et il y avait des choses que Fred ne tolérait pas. « Ne mets pas tes coudes sur la table, on n'est pas dans une porcherie » était une rengaine fréquente, et Fred, couteau à la main, tapotait du manche le bras de tout contrevenant (Rob et Donald prirent sa suite avec un peu trop d'enthousiasme lorsque Fritz, David et moi étions jeunes). Il y avait aussi des choses dont les enfants n'étaient pas censés parler, surtout devant leur père ou leur grand-mère. Quand Freddy voulut savoir comment le bébé était arrivé jusque-là, Fred et sa mère se levèrent comme un seul homme, quittèrent la table sans un mot et sortirent de la pièce. Fred n'était pas prude mais Elizabeth, une femme austère et cérémonieuse, adepte des mœurs victoriennes, l'était sans doute.

Malgré sa vision rigide de la répartition des sexes, elle avait pourtant, des années plus tôt, fait une exception pour son fils ; deux ans après la mort soudaine de son mari, Elizabeth était devenue l'associée du jeune Fred, alors âgé de quinze ans.

Cela avait été possible notamment parce que son homme d'affaires de mari, Friedrich Trump, avait laissé derrière lui de l'argent et des biens évalués à l'équivalent d'environ 300 000 dollars d'aujourd'hui.

Né à Kallstadt, un petit village du royaume de Bavière, Friedrich avait émigré aux États-Unis en 1885, à l'âge de seize ans, afin d'échapper au service militaire obligatoire. Il fit le gros de sa fortune en gérant des restaurants et des bordels en Colombie-Britannique. Il décampa au Yukon à temps pour la ruée vers l'or et revendit ses parts juste avant que la bulle n'éclate, au tournant du siècle.

En 1901, alors qu'il était rentré voir sa famille en Allemagne, Friedrich rencontra Elizabeth Christ, une blonde fluette de presque douze ans sa cadette. Ils se marièrent en 1902. Il emmena sa nouvelle épouse à New York mais, un mois après la naissance de leur premier enfant, une fille prénommée Elizabeth, le couple retourna en Allemagne dans l'intention de s'y établir de façon permanente. À cause des circonstances dans lesquelles Friedrich avait quitté son pays dix-neuf ans plus tôt, il se vit signifier par les autorités qu'il ne pouvait pas rester. Friedrich, sa femme – désormais enceinte de quatre mois de leur deuxième enfant – et leur fille de deux ans repartirent alors définitivement aux États-Unis en juillet 1905. Leurs deux fils, Frederick puis John, naquirent respectivement en 1905 et 1907. La famille s'installa finalement à Wood-

haven, dans le Queens, où les trois enfants grandirent
avec l'allemand pour langue maternelle.

Quand Friedrich mourut de la grippe espagnole, Fred,
qui n'avait que douze ans, devint l'homme de la maisonnée. Malgré la fortune héritée de son mari, Elizabeth avait
du mal à joindre les deux bouts. L'épidémie de grippe, qui
fit plus de cinquante millions de morts dans le monde,
eut un effet déstabilisateur sur ce qui aurait pu être sans
cela une économie de guerre en plein essor. Alors qu'il
était encore au lycée, Fred enchaîna les petits boulots afin
d'aider sa mère financièrement et commença à étudier les
techniques du bâtiment. Devenir entrepreneur était son
rêve depuis toujours. Il ne manquait pas une occasion
d'apprendre le métier, dont tous les aspects l'intriguaient,
et pendant son année de seconde, avec le soutien de sa
mère, il se mit à construire et à vendre des garages dans
son quartier. Il s'aperçut qu'il avait un certain talent pour
ça et, à partir de là, plus rien d'autre ne l'intéressa. Rien.
Deux ans après que Fred eut fini le lycée, Elizabeth fonda
la société E. Trump and Son. Elle était consciente des
capacités de son fils, et cette structure, qui lui permettait
de gérer les transactions financières à sa place puisqu'il
était encore mineur – au début du XXe siècle, la majorité
légale était fixée à vingt et un ans –, était sa façon de
le soutenir. Les affaires comme la famille prospéraient.

À l'âge de vingt-cinq ans, lors d'une soirée dansante,
Fred fit la connaissance de Mary Anne MacLeod, fraîchement arrivée d'Écosse. Selon la légende familiale, il

annonça à sa mère en rentrant chez lui qu'il venait de rencontrer sa future femme.

Mary était née en 1912, dernière de dix enfants, à Tong, un village de l'île de Lewis, située dans l'archipel des Hébrides extérieures à une soixantaine de kilomètres au large de la côte nord-ouest de l'Écosse. Son enfance avait été marquée par deux tragédies mondiales, dont la seconde avait aussi profondément affecté son futur époux : la Grande Guerre et l'épidémie de grippe espagnole. Lewis avait perdu un pourcentage considérable de sa population masculine pendant la guerre et, par une cruelle ironie du sort, deux mois après l'armistice de novembre 1918, un navire ramenant des soldats chez eux s'échoua sur des rochers à quelques encablures du rivage au petit matin du 1ᵉʳ janvier 1919. Plus de deux cents soldats sur les quelque deux cent quatre-vingts à bord périrent dans les eaux glacées à moins d'un mile du port de Stornoway. La majeure partie des jeunes adultes mâles de l'île avait disparu. Toute jeune femme espérant trouver un mari avait intérêt à chercher ailleurs.

Mary, qui avait cinq sœurs, fut encouragée à partir en Amérique, où les occasions étaient meilleures et les hommes plus nombreux.

Au début du mois de mai 1930, dans un exemple typique de « regroupement familial », Mary s'embarqua sur le RMS *Transylvania* afin de rejoindre deux de ses sœurs déjà installées aux États-Unis. Malgré son statut de domestique, Mary aurait été admise, en tant qu'Anglo-Saxonne blanche, dans le pays même selon les nouvelles

règles d'immigration draconiennes instaurées par son fils
près de quatre-vingt-dix ans plus tard. Elle eut dix-huit
ans pile la veille de son arrivée à New York et rencontra
Fred peu de temps après.

Fred et Mary se marièrent un samedi de janvier 1936.
Après une réception à l'hôtel Carlyle de Manhattan, ils
s'offrirent une lune de miel d'une nuit à Atlantic City.
Le lundi matin, Fred était de retour dans son bureau de
Brooklyn.

Le couple emménagea sur Wareham Place, à deux pas
de la maison sur Devonshire Road où Fred vivait avec sa
mère. Pendant ces premières années, Mary était encore
stupéfaite par son revirement de fortune ébouriffant,
tant financier que social. Au lieu d'*être* la domestique à
demeure, elle *avait* des domestiques à demeure ; au lieu
de se battre pour un maigre salaire, c'était la maîtresse
de maison. Avec du temps libre pour faire du bénévolat et de l'argent pour son shopping, elle oublia vite
ses origines modestes, ce qui explique peut-être qu'elle
ait été si prompte à juger ceux qui venaient du même
genre de milieu. Fred et elle menaient une vie des plus
conventionnelles, où les rôles du mari et de la femme
étaient strictement répartis. Il gérait ses affaires, qui le
retenaient à Brooklyn la plus grande partie du temps. Elle
s'occupait de la maison, mais c'était lui qui y régnait…
et, au moins au début, sa mère aussi. Elizabeth était une
belle-mère intimidante qui, pendant les premières années
du mariage de son fils, s'assura de bien faire comprendre
à Mary qui était réellement la cheffe : elle portait des

gants blancs quand elle leur rendait visite, signifiant ainsi à Mary ce qu'elle attendait d'elle en matière de tenue de la maison, sans doute une façon pas très subtile de se moquer de sa récente situation.

Malgré le bizutage que lui fit subir Elizabeth, ces premières années furent un temps de grande énergie et d'opportunités pour Fred et Mary. Fred sifflotait dans l'escalier quand il partait travailler et, quand il rentrait le soir, il sifflotait de même en montant dans sa chambre, où il enfilait une chemise propre pour le dîner.

Le couple n'avait pas discuté des prénoms qu'il donnerait à ses enfants. Aussi, quand ils eurent leur premier bébé, une fille, ils l'appelèrent Maryanne, la combinaison des deux prénoms de Mary. Leur fils aîné naquit un an et demi plus tard, le 14 octobre 1938, et ils le nommèrent comme son père, avec un seul petit changement : le deuxième prénom de Fred senior était Christ, le nom de jeune fille de sa mère ; son fils s'appellerait Frederick Crist. Mais tout le monde à part son père le surnommerait Freddy.

Il semble que Fred ait planifié l'avenir de son fils avant même qu'il soit né. Bien que, en grandissant, il sentirait le poids des attentes qui pesaient sur lui, Freddy profita dès son plus jeune âge d'un statut dont ni Maryanne ni les autres enfants ne jouissaient. Après tout, il occupait une place spéciale dans les plans de son père : il serait l'instrument par lequel l'empire Trump s'étendrait et prospérerait à jamais.

Trois années et demie s'écoulèrent avant que Mary ne

donne le jour à un autre enfant. Peu de temps avant la naissance d'Elizabeth, Fred s'absenta pendant une longue période pour travailler à Virginia Beach. Une pénurie de logements, suite au retour des soldats du front, lui avait offert l'occasion de construire des appartements destinés au personnel et aux familles de la Marine. Fred avait eu le temps d'affûter ses compétences et d'acquérir la réputation qui lui permit de décrocher ce juteux contrat car, contrairement à d'autres hommes aptes au service, il avait choisi de ne pas s'enrôler dans l'armée, suivant ainsi l'exemple de son père.

Grâce à l'expérience qu'il avait accumulée en construisant de nombreuses maisons simultanément et à son talent inné pour utiliser les médias locaux à ses fins, Fred avait fait la connaissance d'hommes politiques qui avaient le bras long, auprès desquels il avait appris à demander des services au bon moment et, plus important, à courir après l'argent public. L'attrait de Virginia Beach, où Fred comprit l'intérêt de bâtir son empire immobilier avec des aides gouvernementales, résidait dans la généreuse subvention offerte par la Federal Housing Administration (Administration fédérale du logement). Fondée en 1934 par le président Franklin D. Roosevelt, la FHA s'était nettement éloignée de sa mission initiale au moment où Fred commença à profiter de ses largesses. Son objectif principal était de faire en sorte que soient construits suffisamment de logements abordables pour la population en constante expansion du pays. Mais, après la Seconde

Guerre mondiale, elle sembla tout autant se préoccuper d'enrichir des promoteurs comme Fred Trump.

Ce projet en Virginie était aussi pour lui l'occasion de parfaire l'expertise qu'il avait commencé à acquérir à Brooklyn : construire des ensembles de logements à grande échelle de la façon la plus rapide, efficace et économe possible tout en parvenant à ce qu'ils restent attractifs pour les locataires. Lorsque ses allers-retours avec le Queens devinrent trop compliqués à gérer, Fred déménagea toute la famille à Virginia Beach alors qu'Elizabeth était encore bébé.

Mary avait beau se retrouver dans un nouvel environnement, son quotidien n'était pas très différent en Virginie de ce qu'il avait été dans le Queens. Fred faisait de longues journées, la laissant seule à la maison avec trois enfants de moins de six ans. Leur vie sociale tournait autour de gens avec lesquels il travaillait ou dont il espérait des faveurs. En 1944, quand les subventions de la FHA qui avaient financé les projets de Fred se tarirent, la famille retourna à New York.

De retour à Jamaica Estates, leur quartier du Queens, Mary fit une fausse couche, un grave accident médical dont elle mit des mois à se rétablir pleinement. Bien que les médecins l'aient mise en garde contre de futures grossesses, Mary se trouva de nouveau enceinte un an plus tard. Cette fausse couche créa une grande différence d'âge entre les deux aînés et les plus jeunes, tandis qu'Elizabeth flottait au milieu, avec des deux côtés quasiment quatre ans d'écart entre elle et ses frères les plus proches.

Maryanne et Freddy étaient tellement plus âgés que les petits derniers que c'était presque comme s'ils appartenaient à une autre génération.

Donald, quatrième enfant du couple et deuxième fils, naquit en 1946, au moment où Fred commençait des plans pour une nouvelle maison familiale. Il avait acheté un terrain juste derrière la maison de Wareham Place, sur Midland Parkway, le large boulevard arboré qui traverse tout le quartier. Quand les enfants apprirent où ils allaient s'installer, ils plaisantèrent en disant qu'ils n'auraient pas besoin de camion de déménagement ; il leur suffirait de faire rouler leurs affaires en suivant la pente.

Avec près de quatre cents mètres carrés, la Maison était la résidence la plus impressionnante du coin, mais elle restait plus petite et moins majestueuse que nombre des hôtels particuliers perchés sur les hauteurs dans la partie nord du quartier. Située au sommet d'un talus, la Maison projetait son ombre dans l'après-midi sur les larges marches dallées qui montaient du trottoir vers l'entrée principale, que l'on utilisait seulement dans les grandes occasions. Les statues de valets noirs disséminées sur la pelouse, vestiges racistes de l'époque de la ségrégation, furent d'abord peintes en rose puis remplacées par des fleurs. Les fausses armoiries sur le fronton au-dessus de la porte, en revanche, restèrent.

Même si le Queens finirait par devenir un des endroits les plus métissés de la planète, quand mon grand-père acheta ce terrain, dans les années 1940, pour y bâtir cette imposante demeure coloniale géorgienne en brique rouge, avec ses colonnes de six mètres de haut, c'était un arrondissement new-yorkais à quatre-vingt-quinze pour cent blanc. Et le quartier huppé de Jamaica Estates, encore plus. Lorsque la première famille italo-américaine y emménagea dans les années 1950, Fred fut scandalisé.

En 1947, Fred se lança dans le projet le plus important de sa carrière jusque-là : Shore Haven, un gigantesque ensemble à Bensonhurst, Brooklyn, comprenant trente-deux immeubles de cinq étages et un centre commercial répartis sur plus de douze hectares. L'intérêt, cette fois, était les neuf millions de dollars de subvention de la FHA qui seraient versés directement à Fred, tout comme Donald capitaliserait plus tard sur les exonérations d'impôt prodiguées à la fois par la municipalité et par l'État. Fred avait déclaré par le passé que les personnes susceptibles de louer un de ces 2 201 appartements étaient des gens « malsains », sous-entendu : les gens honnêtes se logeaient, eux, exclusivement dans le type de maisons individuelles qui étaient au départ sa spécialité. Mais neuf millions de dollars peuvent avoir un effet très persuasif. C'est à peu près à cette époque, quand il devint clair que la fortune de Fred ne ferait que s'accroître, que sa mère et lui créèrent des *trusts funds** au nom de ses enfants, qui permettraient de placer l'argent à l'abri du fisc.

Tout en régnant en tyran implacable sur ses affaires comme sur sa maisonnée, Fred était passé maître dans l'art d'avoir accès à des hommes ayant plus de pouvoir et

---

* Fonds financier confié à un tiers en en désignant le bénéficiaire.

de relations que lui et de leur faire des courbettes. Je ne
sais pas d'où lui venait ce talent, mais il le transmettrait
par la suite à Donald. Au fil du temps, il noua des liens
avec plusieurs dirigeants du Parti démocrate de Brooklyn,
de la machine politique de l'État de New York et du
gouvernement fédéral, dont beaucoup étaient des acteurs
majeurs du secteur de l'immobilier. Si, pour obtenir des
financements, il fallait faire de la lèche aux politiciens
locaux qui tenaient les cordons de la bourse de la FHA,
qu'à cela ne tienne. Il devint membre d'un club de plage
ultra sélect sur la côte sud de Long Island, et plus tard
du country club de North Hills, qu'il considérait comme
de parfaits endroits où côtoyer, inviter et impressionner
les hommes les mieux placés pour acheminer jusqu'à lui
les subventions publiques, ainsi que Donald le ferait en
fréquentant Le Club à New York dans les années 1970
et divers clubs de golf un peu partout.

Comme Donald fut plus tard soupçonné d'agir ainsi
avec la Trump Tower et ses casinos d'Atlantic City, on
disait que Fred collaborait discrètement avec la Mafia
afin qu'elle le laisse tranquille. Lorsqu'il obtint le feu
vert pour un nouveau projet – Beach Haven, un complexe de seize hectares et de vingt-trois immeubles à
Coney Island qui lui rapporterait seize millions de dollars en subventions de la FHA –, il devint évident que
sa stratégie de construire avec l'argent du contribuable
était gagnante.

Ses affaires avaient beau reposer largement sur les
financements de l'État, Fred avait horreur de payer des

impôts et était prêt à tout pour éviter de s'en acquitter. À l'apogée de son empire, il ne dépensait jamais un centime de plus que le strict nécessaire et ne s'endettait *jamais*, une règle d'or que ses fils ne reprendraient pas à leur compte. Hanté par la mentalité de pénurie qu'il avait héritée de la Première Guerre mondiale et de la Grande Dépression, Fred possédait toutes ses propriétés franc et quitte. Les bénéfices que sa société tirait des loyers étaient considérables. Au regard de ses revenus, Fred, dont les enfants rapportaient qu'il avait « des oursins dans les poches », menait une vie relativement modeste. Malgré les cours de piano et les colonies de vacances privées – en phase avec sa vision de ce qu'on était en droit d'attendre d'un homme de son rang –, ses deux aînés grandirent avec le sentiment d'être « des Blancs pauvres ». Maryanne et Freddy faisaient à pied les quinze minutes de trajet jusqu'à leur école publique, et quand ils voulaient aller « en ville » – comme tous les habitants des autres arrondissements de New York désignent Manhattan – ils prenaient le métro à la station de la 169ᵉ Rue. Bien sûr, ils n'étaient pas pauvres ; et, à part quelques difficultés juste après la mort de son père, Fred ne l'avait jamais été non plus.

La fortune de Fred lui aurait permis de vivre n'importe où, pourtant il allait passer la majeure partie de sa vie d'adulte à moins de vingt minutes de l'endroit où il avait grandi. À l'exception de quelques week-ends à Cuba avec Mary dans les premiers temps de leur mariage, il ne quitta jamais le pays. Après avoir terminé son projet en Virginie, il ne quitta même quasiment jamais New York.

Dans cet esprit, son empire immobilier, bien que vaste et lucratif, demeura relativement provincial. Il finit par posséder au total une cinquantaine d'immeubles, mais c'étaient des bâtiments avec assez peu d'étages et uniformément fonctionnels. Presque toutes ses propriétés restèrent concentrées à Brooklyn et dans le Queens. Les paillettes, le glamour et la diversité de Manhattan lui passaient au-dessus de la tête. Autant dire que, pour lui, c'était un autre continent.

Lorsque la famille emménagea dans la Maison, tout le monde dans le quartier savait qui était Fred Trump, et Mary jouait à merveille son rôle d'épouse d'homme d'affaires riche et influent. Elle était très investie dans différentes associations caritatives, dont les Dames auxiliaires de l'hôpital de Jamaica et la crèche de Jamaica, pour lesquelles elle présidait des déjeuners et assistait à des galas de bienfaisance.

Mais en dépit de cette réussite éclatante, il restait à la fois chez Fred et chez Mary une tension entre leurs aspirations et leurs instincts. Dans le cas de Mary, c'était sans doute la conséquence d'une enfance marquée par la pénurie voire la privation. Dans celui de Fred, une prudence liée aux pertes humaines considérables, dont celle de son père, pendant l'épidémie de grippe espagnole et la Première Guerre mondiale, ainsi qu'à l'incertitude économique qu'avait connue sa famille précisément après la mort de son père. Malgré les millions de dollars qui pleuvaient chaque année dans les caisses de Trump Management, Fred ne pouvait s'empêcher de récupérer sur les chantiers les clous non utilisés ou d'essayer de fabriquer lui-même un pesticide moins cher. Mary avait beau s'être facilement habituée à son nouveau statut et aux avantages qui en découlaient, dont une gouvernante à demeure, elle passait le plus clair de son temps chez elle à coudre, à cuisiner et à faire des lessives. C'était comme si ni l'un ni l'autre n'arrivaient tout à fait à concilier ce qu'ils possédaient réellement et ce qu'ils pouvaient s'autoriser.

Bien que frugal, Fred n'était ni modeste ni humble. Tôt dans sa carrière, il avait menti sur son âge afin de paraître plus précoce. Il avait une tendance à l'esbroufe et pratiquait souvent l'hyperbole : tout était « génial », « fantastique », « parfait ». Il inondait les journaux locaux de communiqués de presse sur ses nouvelles constructions et se répandait en interviews pour vanter les mérites de ses résidences. Il tapissait le sud de Brooklyn de prospectus et louait une péniche couverte de publicités pour voguer le long de la plage. Mais il était loin d'avoir le talent dont ferait preuve Donald en la matière. Il savait tenir une discussion en tête à tête et s'attirer les faveurs de gens mieux placés que lui dans les sphères politiques, mais parler devant une large audience ou donner des entretiens télévisés n'était pas à sa portée. Il suivit les cours de Dale Carnegie pour apprendre à s'exprimer en public, mais il était si mauvais que même ses enfants, d'ordinaire respectueux, se moquaient de lui. Tout comme certaines personnes ont un physique de radio, Fred avait un niveau d'aisance en société réservé aux coulisses et à la presse écrite. Chose qui compterait fortement par la suite dans le soutien qu'il apporterait à son second fils aux dépens de son aîné.

Lorsque Fred entendit parler de Norman Vincent Peale dans les années 1950, son message d'autosuffisance le séduisit énormément. Pasteur de l'église collégiale Marble dans le centre de Manhattan, Peale adorait les hommes d'affaires fortunés. « Être un marchand, ce n'est pas gagner de l'argent, écrivait-il. Être un marchand, c'est servir le peuple. » Peale était un charlatan, mais un charlatan à la tête d'une paroisse riche et puissante, et il avait un message à vendre. Bien que Fred ne soit pas un grand lecteur, il était impossible de passer à côté du best-seller immensément populaire de Peale, *La Puissance de la pensée positive*. Le titre à lui seul suffit à Fred, qui décida d'adhérer à la collégiale Marble, malgré le fait que sa famille et lui allaient rarement à l'église.

Fred avait déjà une attitude positive et une foi en lui-même illimitée. Même s'il pouvait être sérieux et rigide, ou méprisant à l'égard de gens comme les amis de ses enfants, sans aucun intérêt pour lui, il avait le sourire facile, y compris quand c'était pour dire à quelqu'un qu'il le trouvait méchant, et il était généralement de bonne humeur. Il avait des raisons de l'être ; il contrôlait strictement tout dans son monde. À l'exception de la mort de son père, le cours de sa vie avait été plutôt agréable, facilité par le soutien sans faille de sa famille et de ses collègues. Depuis ses débuts, quand il construisait des garages, sa réussite avait quasiment toujours suivi une trajectoire ascendante. Il travaillait dur, mais contrairement à la plupart des gens qui se donnaient la même peine, il bénéficiait de subventions publiques, de pistons presque systématiques de ses copains haut placés, et d'une chance inouïe. Fred n'avait pas besoin de lire *La Puissance de la pensée positive* pour adopter, à ses propres fins, les aspects les plus superficiels et intéressés du message de Peale.

Anticipant la doctrine de la prospérité, Peale affirmait qu'on n'avait besoin que de confiance en soi pour prospérer selon la volonté de Dieu. « On ne doit pas permettre aux obstacles de détruire son bien-être et son bonheur. On n'est vaincu que si l'on accepte la défaite », écrivait le pasteur. Cette vision confirmait ce que Fred pensait déjà : il était riche parce qu'il le méritait. « Croyez en vous ! Ayez confiance dans vos capacités ! […] Le sentiment d'infériorité entrave la réalisation des rêves, alors que l'estime de soi conduit à l'épanouissement personnel et à la réussite. » Fred n'avait jamais douté de lui, ni envisagé la possibilité de sa propre défaite. Comme le notait encore Peale : « Il est effroyable de constater le nombre de gens pitoyables qui sont handicapés et rendus malheureux par cette maladie qu'on appelle communément le complexe d'infériorité. »

À vrai dire, les idées de Peale sur la prospérité complétaient bien la mentalité de pénurie à laquelle Fred continuait de s'accrocher. Pour lui, ce n'était pas « Plus on a, plus on peut donner. » C'était « Plus on a, plus on a. » L'amour de l'argent tenait lieu d'amour-propre, la valeur monétaire se confondait avec la valeur humaine. Plus Fred Trump avait de biens, plus c'était quelqu'un de bien. S'il donnait quelque chose à un autre, cette personne vaudrait plus et lui moins. Et il allait transmettre cet état d'esprit à Donald au centuple.

2

Le premier fils

Son statut d'aîné avait d'abord valu à Freddy d'être protégé des pires pulsions paternelles, avant de devenir un immense fardeau et une source de stress. En grandissant, il se trouva déchiré entre la responsabilité que son père avait placée sur lui et son penchant naturel à vivre sa vie comme il l'entendait. Fred, lui, n'était nullement déchiré : son fils devait passer son temps au bureau de Trump Management sur l'Avenue Z et non avec ses copains à Peconic Bay où il apprenait la navigation, la pêche et le ski nautique. Dès l'adolescence, Freddy savait ce que l'avenir lui réservait et ce que son père attendait de lui. Il savait aussi qu'il n'était pas à la hauteur. Ses camarades remarquaient que leur ami, d'ordinaire joyeux et décontracté, devenait inquiet et mal à l'aise en présence de son père, que Freddy et sa bande appelaient « le Vieux ». Du haut de son mètre quatre-vingt-cinq, bien charpenté, Fred était un personnage imposant. Le front dégarni, il se coiffait en plaquant ses cheveux en arrière et portait rarement autre chose qu'un costume trois-pièces sur mesure. Il était rigide et sévère avec les enfants, ne jouait jamais au ballon ni à aucun jeu avec eux, c'était à croire qu'il n'avait jamais été jeune.

Quand les garçons jouaient à la balle au sous-sol, le bruit de la porte du garage suffisait à ce que Freddy se fige instantanément. « Stop ! Mon père est rentré. » Et lorsque Fred arrivait dans la pièce, ils avaient le réflexe de se mettre au garde-à-vous.

« Alors, qu'est-ce qui se passe ? demandait-il en leur serrant la main un par un.

— Rien, papa, répondait Freddy. Ils allaient justement partir. »

Freddy restait toujours taciturne et sur ses gardes tant que le Vieux était à la maison.

Au début de son adolescence, Freddy commença à mentir à son père sur sa vie à l'extérieur afin d'éviter les railleries ou la désapprobation que la vérité lui vaudrait à coup sûr. Il mentait sur ce que ses amis et lui faisaient après les cours. Il mentait sur la cigarette – une pratique à laquelle Maryanne l'avait initié alors qu'il avait douze ans et elle treize –, racontant à son père qu'il allait juste au coin de la rue accompagner son meilleur ami, Billy Drake, qui promenait un chien, tout à fait imaginaire. Fred, par exemple, ne saurait jamais que Freddy et son copain Homer du collège St. Paul avaient volé un corbillard pour s'offrir une petite virée. Avant de rapporter le véhicule aux pompes funèbres, Freddy s'arrêta dans une station-service faire le plein.

Alors qu'il descendait par la portière avant, Homer, qui s'était allongé à l'arrière pour voir l'effet que ça faisait, se redressa d'un coup. Un homme à la pompe d'en face, croyant avoir vu un mort ressusciter, poussa un hurlement, et Freddy et Homer en pleurèrent de rire. Freddy adorait ce genre de canulars, mais il ne régalait ses frères et sœurs de ses exploits qu'en l'absence de leur père.

Chez certains des enfants Trump, le mensonge était un art de vivre. Pour Freddy, c'était un système de défense ; pas seulement une façon de contourner la réprobation paternelle ou de s'éviter une punition, comme pour les autres, mais un mode de survie. Maryanne, par exemple, ne s'opposait jamais à son père, peut-être par crainte d'une punition ordinaire, comme de se voir privée de sortie ou envoyée dans sa chambre. Pour Donald, le mensonge était avant tout une technique d'autoglorification destinée à convaincre les autres qu'il valait mieux que ce qu'il était réellement. Mais quand Freddy contrariait son père, les conséquences étaient autrement plus graves, si bien que le mensonge devint son unique défense face aux velléités de Fred d'étouffer son sens de l'humour, son goût de l'aventure et sa sensibilité naturels.

Les idées de Peale sur les complexes d'infériorité contribuèrent à façonner les jugements sévères de Fred sur son fils aîné tout en lui permettant de ne pas se sentir responsable de ses enfants. La faiblesse était peut-être le plus grand des péchés, et Fred craignait que

Freddy ne ressemble à son propre frère, John, professeur au MIT : un tendre qui, même s'il ne manquait pas d'ambition, s'intéressait à des choses absurdes comme l'ingénierie et la physique, sujets que Fred jugeait ésotériques et sans importance. Une telle mollesse de caractère était inconcevable chez son héritier désigné, et au moment où la famille emménagea dans la Maison, alors que Freddy avait dix ans, son père avait déjà décidé de l'endurcir. Mais comme la plupart des gens qui ne regardent pas où ils vont, il plaça la barre beaucoup trop haut.

« C'est stupide », rétorquait Fred chaque fois que Freddy exprimait le désir d'avoir un animal de compagnie ou qu'il faisait une farce. « Pourquoi est-ce que tu voudrais faire ça ? » disait-il avec un tel mépris dans la voix que son fils en tremblait, ce qui ne faisait qu'agacer Fred davantage. Il détestait quand son aîné ratait quelque chose ou ne comprenait pas intuitivement ce qu'on attendait de lui, mais il détestait encore plus quand, après avoir été réprimandé, Freddy s'excusait. « Désolé, papa », l'imitait Fred avec dédain. Il voulait que son fils devienne, selon son propre terme, un *killer* (pour quelle raison, allez savoir : encaisser des loyers à Coney Island n'était pas vraiment une mission à haut risque dans les années 1950), alors que Freddy était par nature tout l'inverse.

Être un tueur signifiait en fait être invulnérable. Bien que Fred n'ait pas semblé ressentir grand-chose à la mort de son père, la soudaineté de l'événement l'avait pris par surprise et déstabilisé. Des années plus tard, il en parlait en ces termes : « Et puis il est mort. D'un coup. Ça paraissait irréel. Je n'étais pas tellement chamboulé. Vous savez comment sont les enfants. Mais j'ai été choqué de voir ma mère pleurer et être aussi triste. C'est de la voir comme ça qui me chamboulait, pas mes propres sentiments. »

En d'autres termes, cette perte l'avait rendu vulnérable, pas à cause de ses sentiments mais à cause de ceux de sa mère, et il avait sans doute l'impression qu'ils lui étaient imposés, puisqu'il ne les partageait pas. Cette pression forcée avait dû être très douloureuse. À ce moment, il n'était plus le centre du monde, et c'était inacceptable. En grandissant, il refusa de reconnaître ou même de ressentir le chagrin de la perte (je ne l'ai jamais entendu, ni lui ni personne d'autre dans la famille, parler de mon arrière-grand-père). De son point de vue, il avait pu tourner la page parce que rien de particulièrement important n'avait été perdu.

Adepte qu'il était des idées de Norman Vincent Peale sur les faiblesses humaines, Fred ne comprenait pas qu'en ridiculisant et en rabrouant sans arrêt Freddy il créait une situation qui ne pourrait que déboucher sur un manque d'estime de soi. Fred signifiait simultanément à son fils qu'il devait casser la baraque et qu'il n'y arriverait jamais. Aussi Freddy évoluait-il dans un système qui n'était que punition, jamais récompense. Les autres enfants, en particulier Donald, l'avaient forcément remarqué.

Pour ce dernier, cependant, la situation était quelque

peu différente. Avec l'avantage d'un écart d'âge de sept ans et demi, il avait eu tout le loisir d'apprendre en regardant Fred humilier son grand frère. La leçon qu'il en retint, simplifiée à l'extrême, était qu'il ne fallait surtout pas ressembler à Freddy : puisque Fred n'avait pas de respect pour son fils aîné, Donald n'en aurait pas non plus ; puisque Fred le trouvait faible, Donald aussi. Il faudrait du temps avant que les deux frères, chacun d'une façon très différente, finissent par s'adapter à cette réalité.

Il est difficile de comprendre ce qui se passe dans n'importe quelle famille, et peut-être avant tout pour les gens qui en font partie. Quelle que soit la façon dont un parent traite un enfant, il est presque impossible pour cet enfant de croire que ce parent lui veut du mal. Il était donc plus facile pour Freddy de penser que son père avait son intérêt à cœur et que c'était de lui, Freddy, que venait le problème. Autrement dit, protéger l'amour qu'il avait pour son père était plus important que se protéger de ses brimades. Et Donald prenait sans doute au premier degré l'attitude de son père envers son frère : « Papa ne veut aucun mal à Freddy. Il essaie seulement de nous apprendre à devenir des vrais hommes. Et Freddy le déçoit. »

La maltraitance peut être silencieuse et sournoise aussi souvent, voire plus souvent, qu'elle est bruyante et frontale. À ma connaissance, mon grand-père n'était pas un homme violent physiquement, ni même particulièrement colérique. Il n'avait pas besoin de l'être ; il entendait obtenir ce qu'il voulait et l'obtenait presque toujours. Ce n'était pas son incapacité à corriger son fils aîné qui le mettait hors de lui, mais le fait que Freddy n'était tout simplement pas ce qu'il voulait qu'il soit. Fred détruisit son fils aîné en dévalorisant et en dégradant tous les aspects de sa personnalité et de ses capacités naturelles jusqu'à ce qu'il ne reste plus que de l'auto-récrimination et un besoin désespéré de plaire à un homme qui n'avait que faire de lui.

La seule raison pour laquelle Donald échappa au même sort est que sa personnalité servait les objectifs de son père. C'est ainsi que fonctionnent les sociopathes : ils cooptent d'autres gens et les utilisent à leurs fins ; de façon impitoyable et efficace, sans aucune tolérance pour la contestation ou la résistance. Fred détruisit également Donald, mais non en le liquidant comme il le fit avec Freddy ; à la place, il neutralisa son aptitude à développer et à ressentir le spectre complet des émotions humaines. En limitant l'accès de Donald à ses propres sentiments et en rendant bon nombre d'entre eux inacceptables, il pervertit sa perception du monde et abîma sa capacité à y vivre. Ses possibilités de devenir un individu autonome, plutôt qu'une simple extension des ambitions de son père, s'en trouvèrent sérieusement limitées. Les conséquences de cette limitation apparurent plus clairement quand Donald entra à l'école. Aucun de ses parents n'avait jamais interagi avec lui d'une façon qui pouvait l'aider à comprendre le monde qui l'entourait, et cette lacune avait alimenté son incapacité à se lier à d'autres gens et entravé constamment ses relations avec ses frères et sœurs. Cela rendait aussi très difficile pour lui, voire impossible, de déchiffrer les codes sociaux. Un problème qu'il a encore aujourd'hui.

Idéalement, les règles d'une maisonnée reflètent les règles de la société, si bien que, quand les enfants sortent dans le monde, ils savent en général comment se comporter. Quand ils arrivent à l'école, ils sont censés savoir qu'on ne doit pas prendre les jouets des autres ni frapper ou embêter ses petits camarades. Donald ne comprenait rien de tout ça car les règles à la Maison, du moins celles qui s'appliquaient aux garçons – être dur à tout prix, mentir si besoin, ne pas reconnaître ses torts ni s'excuser sous peine de passer pour un faible –, étaient incompatibles avec celles de l'école. Les convictions fondamentales de Fred sur le fonctionnement du monde étaient claires : dans la vie, il ne peut y avoir qu'un vainqueur, tous les autres sont des perdants (une idée qui exclut toute possibilité de partage) ; la gentillesse est une faiblesse. Donald savait pour l'avoir vu avec Freddy que tout manquement aux règles de son père était puni par une sévère humiliation, souvent publique. Aussi continuait-il à s'y conformer même hors de la supervision de Fred. Il n'est donc pas très étonnant que sa notion du « bien » et du « mal » ait détonné avec les leçons enseignées dans la plupart des écoles.

L'arrogance croissante de Donald, qui était en partie une défense contre son sentiment d'abandon et un antidote à son manque d'estime de soi, servait de couverture pour masquer sa propre insécurité. Cela lui permettait de garder la plupart des gens à distance, et c'était plus facile comme ça. La vie à la Maison avait rendu les cinq enfants d'une façon ou d'une autre mal à l'aise avec les émotions, qu'il s'agisse de les exprimer ou d'y être confronté. C'était sans doute pire pour les garçons, chez qui la palette acceptable de sentiments humains était extrêmement réduite (je n'ai jamais vu aucun des hommes de ma famille pleurer ni se témoigner de l'affection autrement que par la poignée de main rituelle qui ouvrait et refermait chaque rencontre). Se rapprocher d'autres enfants ou figures d'autorité devait constituer aux yeux de Donald une dangereuse trahison du père. Pourtant, sa suffisance, sa croyance selon laquelle les règles de la société ne s'appliquaient pas à lui et ses étalages obscènes d'amour-propre attiraient à lui certaines personnes. Un certain nombre de gens continuent à prendre son arrogance pour de la force, ses fanfaronnades pour des réussites et l'intérêt superficiel qu'il leur témoigne pour du charisme.

Donald avait découvert très tôt à quel point il était facile d'énerver Robert et de le faire sortir de ses gonds ; c'était un jeu dont il ne se lassait jamais. Personne d'autre ne se serait amusé à ça – Robert était si chétif et réservé qu'il n'y avait pas grand intérêt à s'en prendre à lui –, mais Donald aimait tester son pouvoir, y compris sur son petit frère, pourtant notoirement soupe au lait. Un jour, de rage et de désespoir, Robert donna un coup de pied dans la porte de leur salle de bains et fit un trou dedans, ce qui lui attira des ennuis même si c'était Donald qui l'avait provoqué. Quand sa mère demandait à Donald d'arrêter, il n'arrêtait pas ; quand Maryanne et Freddy le lui demandaient, non plus.

Une année, pour Noël, les garçons reçurent des petits camions qui devinrent bientôt les jouets préférés de Robert. Dès que Donald s'en aperçut, il se mit à les cacher régulièrement en affirmant n'avoir aucune idée d'où ils étaient. Une fois, alors que Robert se mettait hors de lui, Donald menaça de pulvériser les camions sous ses yeux s'il n'arrêtait pas de pleurer. Terrorisé à l'idée de perdre ses jouets, Robert courut prévenir sa mère. La solution de Mary consista à les cacher au grenier, punissant donc Robert, qui n'avait rien fait de mal, et laissant à Donald un sentiment d'invincibilité. S'il n'était pas encore récompensé pour son égoïsme, son entêtement ou sa cruauté, il n'était pas non plus puni pour ces défauts.

Mary laissait faire, les bras croisés. Elle n'intervenait pas sur le moment et ne consolait pas son fils après coup, comme si ce n'était pas son rôle. Même pour les années 1950, la famille était profondément divisée selon les sexes. Si la mère de Fred avait été son associée – c'était elle qui avait de fait lancé sa société –, on ne pouvait pas en dire autant de Mary. Les filles étaient son domaine, les garçons celui de Fred. Lorsqu'elle faisait son voyage annuel pour retourner voir sa famille sur l'île de Lewis, seules Maryanne et Elizabeth l'accompagnaient. Mary cuisinait les repas des garçons et lavait leurs vêtements mais ne se sentait pas en droit de leur donner des conseils. Elle interagissait rarement avec leurs amis, et ses relations avec ses trois fils, déjà gâtées par des débuts difficiles, devinrent de plus en plus distantes.

Quand, à quatorze ans, Freddy renversa un plat de purée sur la tête de son petit frère qui en avait alors sept, Donald fut si profondément blessé dans son orgueil qu'il l'avait toujours en travers de la gorge lorsque Maryanne mentionna l'incident au cours d'un toast à l'occasion de son dîner d'anniversaire à la Maison-Blanche en 2017. Ce n'était pourtant pas bien grave… du moins ça n'aurait pas dû l'être. Donald était une fois de plus en train d'asticoter Robert et personne n'arrivait à l'en empêcher. Même à sept ans, il ne jugeait pas utile d'écouter sa mère. Puisqu'elle n'avait pas réussi à se rapprocher d'eux après sa maladie, il la traitait avec mépris. Les pleurs de Robert et les persécutions de Donald finirent par dépasser les bornes, et dans un élan d'improvisation qui deviendrait une légende familiale, Freddy attrapa la première chose qui lui tomba sous la main et qui ne risquait pas de causer de dégâts trop graves : le plat de purée.

Tous éclatèrent de rire, sans plus pouvoir s'arrêter. Et ils riaient *de* Donald. C'était la première fois que celui-ci se faisait humilier par quelqu'un qu'il considérait, déjà à l'époque, comme inférieur à lui. Il n'avait pas compris que l'humiliation était une arme qui ne pouvait être utilisée que par une seule personne dans un combat. Et que ce soit Freddy qui le fasse entrer dans un monde où *lui* pouvait en être victime ne faisait qu'aggraver les choses. De ce jour, il se jura de ne plus jamais éprouver ce sentiment. De ce jour, ce serait lui qui brandirait cette arme, et jamais lui qui la subirait.

3

Le Grand Je Suis

Avant le départ de Maryanne pour Mount Holyoke College et, deux ans plus tard, de Freddy pour l'université Lehigh, Donald avait déjà largement eu l'occasion de voir son grand frère se débattre sous le poids des attentes de leur père et échouer à les satisfaire. Elles étaient vagues, bien sûr. Fred avait l'habitude propre aux personnes autoritaires de supposer que leurs subalternes savent quoi faire sans qu'on le leur dise. En général, la seule façon de vérifier que vous faisiez ce qu'il fallait était de ne pas se prendre un savon.

Mais c'était une chose de ne pas se retrouver dans la ligne de mire de Fred, une autre de s'attirer ses bonnes grâces. À cet effet, Donald éradiqua quasiment tous les points communs qu'il pouvait avoir avec son grand frère. À part de temps en temps une partie de pêche avec Freddy et ses amis, il allait devenir un homme de country clubs et de bureaux, le golf étant l'unique chose sur laquelle son père et lui différaient. Il allait aussi accentuer les comportements qu'on lui avait jusque-là pardonnés :

jouer les brutes, accuser les autres, refuser d'assumer ses responsabilités, se moquer de l'autorité. Il prétend qu'il « tenait tête » à son père et que Fred le « respectait » pour ça. En vérité, s'il a pu lui tenir tête, c'est que Fred le laissait faire. Quand il était très jeune, l'attention de son père n'était pas braquée sur lui ; elle était concentrée ailleurs, sur ses affaires et son fils aîné, point. Lorsque, à treize ans, Donald partit pour l'école militaire, Fred commença à admirer son mépris de l'autorité. Quoique strict dans son mode d'éducation, Fred acceptait l'arrogance et l'agressivité de Donald – du moins une fois qu'il y prêta attention – parce qu'il se reconnaissait dans ces pulsions.

Encouragé par son père, Donald finit par croire à son propre bluff. Dès l'âge de douze ans, le coin droit de sa bouche était presque tout le temps relevé en un perpétuel rictus de supériorité et Freddy l'avait surnommé « le Grand Je Suis » en référence à un passage de l'Exode qu'il avait étudié au catéchisme, où Dieu se révèle à Moïse pour la première fois.

En raison des circonstances désastreuses dans lesquelles il avait grandi, Donald savait d'expérience qu'il ne serait jamais réconforté ni consolé, surtout quand il en avait le plus besoin. Il était donc inutile d'avoir l'air en demande. Et, qu'il se le soit formulé consciemment ou pas, ni l'un ni l'autre de ses parents ne le verrait jamais pour ce qu'il était vraiment ou aurait pu être ; Mary était trop épuisée et Fred ne s'intéressait qu'à celui de ses fils qui pourrait lui être le plus utile.

Aussi devint-il ce qu'il y avait de plus opportun. La personnalité rigide qu'il développa en conséquence était une armure qui le protégea souvent de la douleur et du chagrin. Mais elle l'empêcha aussi d'apprendre à faire suffisamment confiance aux autres pour se rapprocher d'eux.

Freddy était terrorisé à l'idée de demander quoi que ce soit à Fred. Donald avait vu le résultat de cette réticence. Chaque fois que Freddy déviait ne serait-ce que d'un iota des attentes paternelles – souvent tacites –, il finissait humilié ou couvert de honte. Donald allait essayer autre chose : il choisit plutôt de se faire bien voir de leur père en brisant toutes les barrières que son grand frère n'avait jamais osé remettre en cause. Il savait exactement comment s'y prendre : quand Freddy tremblait, Donald haussait les épaules. Il prenait ce qu'il voulait sans demander la permission, non parce qu'il était courageux mais parce qu'il avait peur de faire le contraire. On peut se demander si Donald comprenait le message implicite, en revanche Fred, lui, le comprenait très bien : sa philosophie de la famille, comme dans la vie, n'admettait qu'un seul vainqueur ; tous les autres seraient des perdants. Freddy avait beau essayer, il n'arrivait jamais à bien faire ; de son côté, Donald commença à s'apercevoir qu'il ne pouvait jamais mal faire, alors il arrêta d'essayer de bien faire. Il devint de plus en plus effronté et agressif car la seule personne au monde qui lui importait – son père – ne lui demandait presque jamais de comptes ni d'explications.

Fred aimait son attitude de *killer*, même si elle se manifestait par une mauvaise conduite.

Chacune des transgressions de Donald se transformait en test pour gagner l'approbation de son père, comme s'il disait : « Regarde, papa, c'est moi le dur. C'est moi le tueur. » Et il en rajoutait sans cesse car il ne rencontrait aucune résistance… du moins pendant un temps. Mais elle ne vint pas de son père.

Si l'attitude de Donald ne dérangeait pas Fred – vu ses longues journées au bureau, il n'était pas souvent là pour voir ce qui se passait à la maison –, elle rendait sa mère folle. Mary n'avait aucun contrôle sur lui, et Donald lui désobéissait à tout bout de champ. Chaque fois qu'elle essayait de le discipliner, elle se faisait rembarrer. Il répondait. Il n'admettait jamais qu'il avait tort ; il la contredisait même quand elle avait raison ; et il refusait de céder. Il tourmentait son petit frère et lui volait ses jouets. Il ne faisait jamais ses corvées ménagères ni rien de ce qu'on lui demandait. Et, peut-être le pire pour une femme tatillonne comme elle, c'était un sagouin qui ne ramassait jamais derrière lui malgré tout ce dont elle pouvait le menacer. « Attends un peu que ton père soit rentré » était une menace qui avait marché sur Freddy, mais pour Donald c'était une blague dont son père semblait même être complice.

Finalement, en 1959, la mauvaise conduite de Donald – les bagarres, les brutalités, l'insolence avec les professeurs – était allée trop loin. Kew-Forest avait atteint ses limites. La présence de Fred au conseil d'administration de l'école était à double tranchant : d'un côté, on avait fermé les yeux sur l'attitude de Donald pendant plus long-temps que la normale ; d'un autre, cela mettait Fred dans une position délicate. Les insultes et provocations contre des enfants trop jeunes pour se défendre avaient dégénéré en échanges de coups. Fred n'en voulait pas à Donald de mal se comporter, mais c'était devenu gênant et chro-nophage pour lui. Lorsqu'un des autres administrateurs de Kew-Forest lui suggéra de l'envoyer à la New York Military Academy (NYMA) pour lui serrer la bride, Fred suivit son conseil. Le livrer à des instructeurs militaires et à des camarades plus âgés qui ne toléreraient pas ses impertinences pourrait même endurcir davantage son tout jeune protégé. Fred avait mieux à faire que de s'occuper de Donald.

J'ignore si Mary eut son mot à dire dans la décision finale, mais elle ne se battit pas non plus pour garder son fils à la maison, ce que Donald ne manqua sans doute pas de remarquer. Cela dut résonner comme une rémi-niscence de toutes les fois où elle l'avait déjà abandonné par le passé.

Malgré ses objections, Donald fut donc admis à la NYMA, un internat privé pour garçons à une centaine de kilomètres au nord de New York. Les autres enfants de la famille en parlaient comme d'une « maison de redres-sement » ; ça n'avait pas le prestige de St. Paul, où était allé Freddy. Personne n'envoyait ses fils à la NYMA pour la qualité de l'éducation, et Donald le prit, à juste titre, comme une punition.

Quand Freddy apprit la nouvelle, il déclara à ses amis avec une certaine perplexité : « Ouais, ils n'arrivent plus à le contrôler. » Ça paraissait invraisemblable. Son père semblait toujours *tout* contrôler. Ce que Freddy ne comprenait pas était que Fred ne s'intéressait pas à Donald de la même façon qu'à lui. S'il avait voulu le discipliner, il aurait été discipliné. Mais avant que Donald ne quitte la maison, Fred n'avait aucune envie de se donner du mal avec lui ni avec aucun des trois autres enfants.

Les parents ont toujours des effets différents sur leur progéniture, quelle que soit la dynamique de la famille ; cependant, pour la fratrie Trump, les conséquences des pathologies particulières de Fred et de Mary furent extrêmes. Alors que, chacun leur tour et à leur façon, ils s'apprêtaient à quitter le foyer, leurs handicaps respectifs étaient déjà apparents.

Maryanne eut la malchance d'être une fille intelligente et ambitieuse dans une famille misogyne. Bien qu'elle soit l'aînée, comme c'était une fille, ce fut Freddy, le premier garçon, qui reçut toute l'attention de leur père. Il ne restait plus à Maryanne qu'à se ranger du côté de leur mère, qui n'avait aucun pouvoir à la maison. Aussi, après avoir essuyé la lourde déception d'être rejetée du cursus d'économie nationale du prestigieux Dartmouth College, elle dut se rabattre sur le Mount Holyoke College, « peu ou prou un couvent », comme elle le dit elle-même. Au bout du compte, elle fit ce qu'elle croyait devoir faire car elle pensait que son père se souciait d'elle.

Le problème de Freddy était de ne pas réussir à être totalement quelqu'un d'autre que ce qu'il était.

Celui d'Elizabeth : l'indifférence de sa famille. Non seulement c'était l'enfant du milieu (et une fille), mais un fossé respectivement de trois et quatre ans la séparait de ses frères juste au-dessus et en dessous d'elle. Adolescente timide et renfermée, elle ne parlait pas beaucoup, ayant appris d'expérience qu'aucun de ses deux parents n'écoutait vraiment. Elle leur resta pourtant dévouée jusque très tard, continuant à rentrer à la Maison chaque week-end et à espérer capter l'attention de son « papounet ».

Le problème de Donald était que le personnage agressif et rigide qu'il s'était créé pour se protéger de la terreur de l'abandon qu'il avait vécu dans son tout jeune âge, ainsi que le fait d'avoir vu Freddy se faire martyriser par leur père, le privait de tout réel lien humain.

Le problème de Robert était d'être le petit dernier, un élément secondaire.

Rien de ce que pouvaient faire Maryanne, Elizabeth ou Robert n'aurait jamais l'approbation de Fred ; ils n'étaient d'aucun intérêt pour lui. Telles des planètes en orbite autour d'un très grand soleil, tous les cinq étaient séparés par la force de sa volonté alors même qu'ils suivaient les trajectoires qu'il leur avait destinées.

Freddy avait toujours pour projet de devenir le bras droit de son père chez Trump Management, mais la première fois qu'il décolla depuis la piste de l'aéro-club de Slatington aux manettes d'un Cessna 170 en 1961, sa perspective changea.

Tant qu'il suivait les cours obligatoires de sa fac de commerce et qu'il continuait à avoir de bonnes notes, il pouvait voler, fréquenter une fraternité étudiante et intégrer le corps d'entraînement des officiers de réserve de l'US Air Force (le ROTC). Pour rigoler, Freddy choisit Sigma Alpha Mu, une fraternité historiquement juive. Que ce soit ou pas une provocation consciente envers son père, qui employait souvent des expressions telles que « marchander comme un juif », certains de ses camarades de Sigma Alpha Mu finirent par devenir ses meilleurs amis. Entrer au ROTC répondait à un objectif totalement différent. Freddy avait désespérément besoin d'une forme de discipline qui ait du sens. Le système transparent d'évaluation et de récompense du ROTC lui convenait à merveille. Si vous faisiez ce qu'on vous demandait, votre obéissance était reconnue. Si vous remplissiez ou dépassiez les attentes, vous étiez récompensé. Si vous commettiez une erreur ou ne suiviez pas les ordres, vous écopiez d'une punition proportionnelle à l'infraction. Il adorait la hiérarchie ; il adorait les uniformes ; il adorait les médailles, qui étaient des symboles clairs de réussite. Quand vous portez un uniforme, les autres peuvent facilement identifier qui vous êtes et ce que vous avez fait, et vous êtes reconnu à votre juste mesure. C'était l'inverse de la vie avec Fred, qui attendait de bons résultats sans jamais les saluer à l'arrivée ; seules les fautes étaient relevées et punies.

Passer son brevet de pilote répondait au même genre de logique que le ROTC : vous accumulez un certain nombre d'heures de vol, vous êtes qualifié sur des instruments précis, vous avez votre brevet. Ses cours de pilotage finirent par devenir sa priorité numéro un. Comme avec les bateaux, il prenait ça très au sérieux et se mit à sécher des parties de cartes avec ses copains de la fraternité pour réviser ou ajouter une heure de vol à son actif. Mais ce n'était pas seulement le plaisir d'avoir trouvé un domaine dans lequel il excellait, c'était la joie de la liberté totale, chose qu'il n'avait jamais connue.

L'été, Freddy travaillait pour son père, comme toujours, mais les week-ends il emmenait ses amis en mer sur un bateau qu'il avait acheté au lycée pour pêcher et faire du ski nautique. De temps en temps, Mary lui demandait de prendre Donald avec lui. « Désolé, les gars, disait-il à ses copains, mais je dois me coltiner mon casse-couilles de petit frère. » Donald était sans doute aussi enthousiaste que Freddy était réticent. Malgré ce que leur père semblait penser de lui, Freddy avait l'air très apprécié de ses amis et ils passaient toujours un bon moment... Une réalité en contradiction avec ce qu'on avait toujours inculqué à Donald dans son enfance.

En août 1958, juste avant d'entrer en troisième année de fac, Freddy et Billy Drake partirent en vacances à Nassau, dans les Bahamas. Ils affrétèrent un bateau tous les deux et passèrent leurs journées à pêcher et à explorer l'île. Un soir, de retour à l'hôtel, alors qu'ils étaient au bar de la piscine, Freddy fit la connaissance d'une jolie blonde nommée Linda Clapp. Deux ans plus tard, elle deviendrait sa femme.

En septembre de cette même année, Donald entrait à la New York Military Academy. Il passait d'un monde dans lequel il pouvait faire ce qui lui chantait à un autre où il risquait une punition s'il ne faisait pas son lit et où les élèves des classes supérieures le plaquaient contre le mur sans raison particulière. Peut-être du fait d'avoir lui-même perdu son père à douze ans, Fred était conscient de l'isolement de son fils et lui rendit visite presque tous les week-ends entre son admission en quatrième et son diplôme en fin de terminale, l'année 1964. Cela atténua quelque peu le sentiment d'abandon et d'injustice de Donald et lui donna le premier signe d'un lien avec son père que son frère aîné n'avait pas. Mary allait le voir de temps en temps, mais dans l'ensemble elle était soulagée qu'il soit parti.
Même s'il n'avait pas demandé à intégrer la NYMA, certaines choses là-bas lui convenaient assez bien, comme pour Freddy au ROTC. Il y avait de la structure, et des conséquences à ses actes. Il y avait un système logique de punition et de récompense. En même temps, la vie à la NYMA confirmait une des leçons de Fred : la personne qui avait le pouvoir (pouvoir conféré ou acquis de façon arbitraire) était celle qui décidait de ce qui était

bien ou mal. Tout ce qui vous permettait de garder le pouvoir était par définition bien, même si ce n'était pas toujours juste.

La NYMA renforça également l'aversion de Donald pour la vulnérabilité, forme de sensibilité essentielle pour accéder à l'amour et à la créativité. Cette fragilité peut aussi nous exposer à la honte, chose qu'il ne pouvait tolérer. Par nécessité, il dut améliorer le contrôle de ses pulsions, non seulement pour s'éviter des châtiments mais aussi pour réussir en toute impunité d'autres transgressions qui demandaient un peu plus de finesse.

La quatrième et dernière année de Freddy à la fac fut l'une des plus heureuses et des plus productives de sa vie. Pas tant pour son diplôme de maîtrise que pour le reste. Il était devenu président de Sigma Alpha Mu, il avait fini son entraînement au ROTC et allait pouvoir intégrer l'Air Force National Guard (la Garde nationale aérienne) au rang de sous-lieutenant. Plus important, il avait désormais son brevet de pilote professionnel, bien qu'il n'ait pas spécialement l'intention de s'en servir puisqu'il allait travailler à Brooklyn avec son père, dans la perspective de lui succéder un jour.

Lorsque Freddy arriva chez Trump Management à l'été 1960, la société comptait plus de quarante immeubles et grands ensembles, avec des milliers de logements répartis dans tout Brooklyn et le Queens. Cela faisait des années que Fred emmenait son fils aîné sur des chantiers ; ses plus grands projets, dont Shore

Haven et Beach Haven à Brooklyn, ainsi que d'autres plus petits et plus proches de chez eux à Jamaica Estates, avaient tous été construits pendant l'enfance de Freddy dans les années 1940 et 1950. Durant ces visites, son père lui martelait l'importance de la réduction des coûts (si c'est moins cher, fais-le toi-même, sinon sous-traite-le) et des économies d'échelle (les briques rouges coûtaient un penny de moins que les blanches). Fred le traînait aussi dans les meetings du Parti démocrate de Brooklyn et les galas de collecte de fonds, s'assurant qu'il rencontre ainsi tous les hommes politiques les plus influents de la ville.

Désormais employé à plein temps, Freddy se mit à accompagner son père dans ses tournées d'immeubles, pour aller voir les gardiens et superviser les réparations. Être sur le terrain lui plaisait davantage que de rester cloîtré dans l'ancien cabinet de dentiste où étaient installés les bureaux de Trump Management sur l'Avenue Z dans le sud de Brooklyn, avec leurs pièces exiguës et mal éclairées. Malgré des millions de dollars de chiffre d'affaires chaque année, Fred continuait à s'occuper lui-même des locataires quand il jugeait que les circonstances l'exigeaient. Si, par exemple, l'un d'eux se plaignait un peu trop bruyamment ou fréquemment, Fred lui rendait visite en sachant que sa réputation le précédait toujours. À l'occasion, il emmenait Freddy avec lui pour lui montrer comment gérer ce genre de situations.

Un jour qu'un locataire avait appelé le bureau à plusieurs reprises pour signaler une panne de chauffage,

Fred décida de faire le déplacement. Après avoir frappé à la porte, il ôta sa veste, chose qu'il ne faisait en général que juste avant de se coucher. Une fois dans l'appartement, où effectivement la température était basse, il roula les manches de sa chemise (encore une chose qu'il faisait très rarement) et déclara au locataire qu'il ne voyait pas de quoi il se plaignait. « On dirait les tropiques, là-dedans », lui dit-il.

Freddy commença à devoir effectuer ses périodes de réserve dans la National Guard. Un week-end par mois, il se rendait au bâtiment de l'Armory à Manhattan. Fred ne commentait pas ces absences le week-end, mais il était agacé par les deux semaines de congés annuels que Freddy devait prendre afin de pointer à la caserne de Fort Drum, dans le nord de l'État de New York. Pour lui, qui n'avait que faire du service militaire, c'était une perte de temps sur les heures de son employé.

Un soir, après une longue journée de travail, Freddy reçut un coup de fil de Linda Clapp. Ils ne s'étaient pas parlé depuis plus d'un an. Elle lui raconta qu'elle était devenue hôtesse de l'air chez National Airlines et qu'elle était basée à l'aéroport d'Idlewild (devenu aujourd'hui l'aéroport international John F. Kennedy). Elle se souvenait que Freddy lui avait dit que son père possédait des immeubles dans le Queens et elle se demandait s'il pourrait l'aider à trouver un appartement pas trop loin de l'aéroport. Fred avait plusieurs immeubles à Jamaica, à seulement un quart d'heure de bus d'Idlewild. Ils lui dégottèrent un studio dans la résidence Saxony sur Highland Avenue, juste à côté d'un grand parc avec un étang au milieu. Peu de temps après son emménagement, Freddy et elle commençaient à sortir ensemble.

Un an plus tard, en août 1961, Freddy invita Linda à dîner dans leur restaurant préféré à Manhattan. À l'apéritif, il glissa une bague de fiançailles dans le cocktail de Linda et la demanda en mariage. Après le repas, Freddy proposa d'aller à Jamaica Estates l'annoncer à ses parents. Fred et Mary accueillirent la nouvelle... avec calme.

Au vu des origines modestes de Linda (son père avait été chauffeur routier, et désormais ses parents tenaient une gargote près d'une plage de Floride) et de ce qu'ils percevaient comme un manque de sophistication et d'éducation, ils la soupçonnaient d'avoir choisi Freddy pour son argent. Ce qui était une grossière erreur de jugement, complètement à côté de la plaque, car Linda ne mesurait sans doute pas l'ampleur de la fortune de son futur beau-père. Et si c'était l'argent qui l'intéressait, la suite prouverait qu'elle n'était vraiment pas douée sur ce plan.

Étant donné ses propres origines plus que modestes en Écosse, ma grand-mère aurait pu être l'alliée de ma mère. Mais lorsque Mary MacLeod avait atteint le sommet de l'échelle, elle l'avait aussi retirée derrière elle. Quant à Fred, Linda ne lui plaisait pas, point barre.

De toute façon, puisque Freddy l'avait choisie, elle était forcément suspecte.

En attendant, les règles de l'époque étaient très strictes pour les hôtesses de l'air : elles pouvaient être suspendues pour s'être trop laissé pousser les cheveux ou avoir pris du poids, et n'avaient plus le droit de travailler une fois mariées. Après son dernier vol en janvier 1962, deux semaines avant la noce, Linda n'aurait donc plus de revenus indépendants.

Parce que la mère de Linda était en fauteuil roulant à cause d'une polyarthrite rhumatoïde sévère, le couple décida d'organiser le mariage en Floride. La cérémonie à l'église serait suivie d'un simple cocktail au Pier Sixty-Six Hotel & Marina sur le front de mer de Fort Lauderdale. Fred et Mary n'étaient pas contents, mais comme ils n'avaient pas proposé leur aide financière, ils ne pouvaient pas dire grand-chose. Ni Elizabeth, qui était à l'université en Virginie, ni Donald, encore à l'Académie militaire, ne firent le déplacement. Les Trump se contentèrent de donner une réception à New York quand les jeunes mariés revinrent de leur lune de miel.

La construction du Trump Village à Coney Island – le plus grand projet de Trump Management jusque-là – devait commencer en 1963, et Freddy était censé contribuer aux préparatifs. Fred comptait leur proposer un appartement dans un de ses immeubles à Brooklyn pour les avoir sous la main et qu'ils puissent gérer les problèmes qui surgiraient, mais Freddy et Linda préférèrent s'installer à Manhattan, dans un deux-pièces sur la 56ᵉ Rue Est entre la Première Avenue et Sutton Place. Ils prirent un caniche, premier animal de compagnie pour Freddy, et quelques mois plus tard Linda était enceinte.

En novembre naquit Frederick Crist Trump III. Un mois après, Freddy acheta son premier avion, un Piper Comanche 180 à bord duquel Linda et lui s'envolèrent pour Fort Lauderdale juste après Noël afin de le montrer – ainsi que leur fils – aux parents de Linda. Son père, Mike, qui se garait souvent près des pistes pour regarder les avions décoller et atterrir, fut très impressionné.

Au cours d'un de leurs dîners hebdomadaires avec Maryanne et son mari David Desmond, qu'elle avait épousé en 1960, Freddy leur parla de son avion, en ajoutant : « Ne le dites pas à papa. Il ne comprendrait pas. »

En septembre 1963, le couple déménagea dans un des immeubles de Trump Management à Jamaica, le Highlander, à deux pas de l'endroit où Linda avait vécu quand elle était arrivée à New York trois ans plus tôt. Le Highlander était typique des immeubles de Fred, avec une entrée majestueuse, une illusion dissimulant les appartements miteux. D'un côté du hall, immense, se trouvait un vaste espace lounge délimité par des cordons de velours et des poteaux ; de l'autre, une gigantesque forêt de plantes tropicales. Tout du long, une baie vitrée donnait sur un grand parvis dallé que deux volées de marches en brique reliaient au trottoir. De part et d'autre des marches, encore de la végétation luxuriante, des chênes imposants et des plantes exotiques aux énormes feuilles vert foncé : une autre spécialité de Fred. L'immeuble se dressait au sommet d'une colline sur Highland Avenue, en gros l'artère qui divisait en deux le quartier de Jamaica : le côté nord était plus résidentiel, à prédominance blanche ; le sud plus urbain, à prédominance noire. Selon que l'on sortait par la porte de devant ou de derrière, on était dans deux mondes différents. Freddy et Linda prirent un trois-pièces dans l'angle sud-est du huitième et dernier étage, avec vue d'un côté sur les quartiers sud, de l'autre sur le parc et un peu plus loin le grand lycée Jamaica High School.

Freddy craignait que les autres occupants profitent de sa présence sur place, en tant que fils du propriétaire et employé de la société qui gérait les appartements, pour venir le déranger à toute heure du jour et de la nuit. Mais l'immeuble avait moins de quinze ans et le gardien veillait à ce qu'on le laisse tranquille.

Peu de temps après leur emménagement, Freddy annonça à Linda qu'il voulait devenir pilote professionnel. Au bout de trois ans chez Trump Management, il trouvait ce boulot rébarbatif. Quasiment dès le début, son père l'avait tenu à l'écart du projet de développement du Trump Village ; à la place, il devait se contenter de régler les plaintes des locataires et de superviser les menus travaux d'entretien.

Le métier de pilote lui donnerait l'occasion de faire quelque chose qu'il aimait tout en gagnant bien sa vie. Avant la généralisation du moteur à réaction au début des années 1960, les embauches de pilotes de ligne avaient été gelées pendant sept ans. Mais avec l'arrivée du Boeing 707 et du Douglas DC-8 dans les flottes commerciales, le voyage aérien explosa. Pan Am lança des vols transatlantiques en 1958 tout en prêtant ses appareils à National Airlines pour les vols intérieurs. L'année suivante, TWA, American Airlines, Delta et United utilisaient tous des avions à réaction qui, plus gros, plus puissants et plus sûrs que leurs prédécesseurs à hélices, pouvaient transporter davantage de passagers sur de plus longues distances.

La multiplication des lignes engendra une demande pour des pilotes qualifiés ayant déjà les compétences nécessaires afin de se former rapidement sur les nouveaux appareils. TWA fut la dernière compagnie à adopter le 707, la pression était donc forte pour rattraper le temps perdu. Les murs des aéroports d'Idlewild et de MacArthur, où Freddy garait son Comanche, étaient couverts d'annonces : on avait besoin de sang frais dans les cockpits commerciaux.

Linda refusa. Ancienne hôtesse de l'air, elle était bien placée pour savoir ce que trafiquaient les pilotes pendant leurs escales. Dans un premier temps, Freddy accepta de remiser ses envies au placard et de s'accommoder de son travail chez Trump Management.

Mais les relations avec son père se détériorèrent. Chaque fois que Freddy lui proposait des idées d'innovation, Fred le descendait en flammes. Quand il réclamait plus de responsabilités, Fred le rembarrait.

Voulant prouver qu'il était capable de prendre des décisions tout seul, Freddy passa une commande de fenêtres pour un des immeubles anciens. Lorsque Fred l'apprit, il s'emporta. « Tu aurais dû donner un coup de peinture dessus au lieu de gaspiller mon argent ! hurla-t-il sous le regard des autres employés. Donald vaut dix fois mieux que toi. Il n'aurait jamais fait une bêtise pareille. » Donald était encore au lycée à l'époque.

C'était une chose de se faire humilier par son père devant ses frères et sœurs, mais les gens dans ce bureau n'étaient pas ses égaux ; un jour, en théorie, il était censé devenir leur chef. Voir son autorité naissante ainsi ébranlée en public lui fit l'effet d'un coup de massue.

Quand il rentra chez lui ce soir-là, il raconta à Linda qu'il se sentait piégé et lui confia qu'il n'avait jamais été heureux de travailler pour son père. Ce n'était pas du tout ce à quoi il s'attendait, et pour la première fois il se dit que Trump Management était peut-être une impasse pour lui. « Je vais envoyer ma candidature à TWA, Linda. Je n'ai pas le choix. » Ce n'était plus une question. Peut-être que Fred lui couperait les vivres, mais Freddy était prêt à risquer de perdre son héritage. Les pilotes, surtout chez TWA, avaient de très bons salaires et la sécurité de l'emploi. Il serait en mesure de faire vivre sa famille, et il serait indépendant.

Quand Freddy annonça à son père qu'il quittait Trump Management pour devenir pilote de ligne, Fred fut abasourdi. C'était une trahison, et il avait bien l'intention que son fils aîné s'en souvienne.

4

Paré au décollage

Seuls les meilleurs pilotes se voyaient affectés à la très convoitée ligne Boston-Los Angeles. Or, en mai 1964, Freddy était aux commandes de son premier vol officiel comme pilote professionnel entre l'aéroport de Boston Logan et LAX... moins de six mois après avoir envoyé sa candidature pour être admis en formation.

Cette réussite était un cas unique au sein de la famille Trump. Aucun autre enfant de Fred n'irait aussi loin en volant de ses propres ailes. Celle qui s'en approcha le plus fut Maryanne, qui reprit des études de droit au début des années 1970 et, en neuf ans, accéda à une belle carrière de procureure. Finalement, sa nomination à la cour d'appel fédérale ne fut toutefois possible que parce que Donald fit jouer ses relations. Pendant des décennies, Elizabeth travailla à la banque Chase Manhattan, à un poste que Fred lui avait dégotté. Donald fut pistonné dès le début, chacun de ses projets financé et soutenu par Fred puis par une myriade d'autres facilitateurs jusqu'à aujourd'hui encore. Hormis un bref passage par une société d'investissement new-yorkaise juste après ses études, Robert travailla d'abord pour Donald, puis pour son père. Même Fred n'était pas totalement un self-made-man, puisque c'était sa mère qui avait fondé la société qui allait devenir Trump Management.

Freddy s'était inscrit tout seul à l'école aéronautique en parallèle de ses cours à l'université, défiant son père (ce qu'il paierait jusqu'à la fin de ses jours), sans le moindre soutien de sa famille – et au contraire avec son plus grand mépris. Ces obstacles mis à part, il était déterminé à présenter sa candidature à TWA autant de fois que nécessaire. Il fut pris du premier coup.

Dans les années 1950 et 1960, la grande majorité des nouveaux pilotes avaient été formés dans l'armée. Une classe typique se composait de vingt élèves : quatre issus de l'armée de l'air, quatre de la Marine, quatre de l'armée de terre, quatre du corps des marines et quatre civils. À vingt-cinq ans, Freddy fut l'un des douze hommes admis dans la première promotion TWA de 1964. Dix d'entre eux avaient une formation militaire. Quand on pense qu'il n'y avait pas de simulateurs de vol et que tout l'entraînement avait lieu dans les airs, ce n'en est que plus époustouflant. Freddy récoltait enfin le fruit de toutes ces heures passées à l'aérodrome pendant que ses copains de la fraternité faisaient la fête.

Le voyage aérien incarnait alors le summum du glamour, et la compagnie TWA de Howard Hughes, prisée du gotha hollywoodien, était à la pointe de cette tendance. En fournissant des limousines aux chroniqueuses mondaines Hedda Hopper et Louella Parsons pour les déposer et aller les chercher à l'aéroport, elle s'attira une bonne publicité : tout le monde voulait voler sur ses lignes. TWA était une des plus grosses compagnies au monde et desservait à la fois le marché intérieur et l'international. À bord de ses avions, les pilotes étaient des dieux vivants – traités en conséquence – et, grâce au penchant de Hughes pour les jolies femmes, les hôtesses ressemblaient toutes à des stars de cinéma.

Les réactions que suscitaient les pilotes en traversant le terminal, les regards admiratifs, les demandes d'autographe étaient une nouveauté pour Freddy et un changement bienvenu par rapport à Trump Management, où il avait dû lutter – en vain – pour se faire respecter. Les aéroports rutilants contrastaient avec les bureaux lugubres et les chantiers poussiéreux qu'il avait laissés derrière lui. À la place des bulldozers et des pelleteuses, c'étaient des rangées de 707 et de DC-8 qui brillaient sur le tarmac. Au lieu de voir toutes ses décisions critiquées et remises en cause par son père, dans le cockpit Freddy avait le contrôle.

Bientôt, il déménagea sa jeune famille à Marblehead, une petite ville côtière à quarante minutes au nord-est de l'aéroport de Boston sur le littoral du Massachusetts. Ils y louèrent un vieux cottage délabré au milieu d'un ensemble de maisons éclectiques qui entouraient la place principale, non loin du port, où Freddy faisait mouiller son « yacht », un Boston Whaler cabossé.

Le mois de mai à Marblehead était idyllique. Freddy

adorait son nouveau métier. Le couple avait une vie sociale épanouie, sur fond de barbecues et de parties de pêche en haute mer. Presque tous les week-ends, des amis de New York venaient leur rendre visite. Au bout d'un mois, pourtant, Freddy commença à avoir du mal avec son emploi du temps. Il était souvent désœuvré quand il ne volait pas. Linda remarqua qu'il s'était mis à boire plus que de raison ; un problème qu'il n'avait jamais eu jusque-là.

Freddy ne se confiait plus à elle, peut-être dans le but de la protéger, aussi ne connaissait-elle pas les détails de la conversation qu'il avait eue avec Fred en décembre. Linda n'était pas non plus au courant du déluge d'insultes que son mari recevait de son père sous forme de lettres et de coups de fil. Mais les amis de Freddy, si. Il leur avait raconté, avec une note d'incrédulité dans la voix, que le Vieux avait honte d'avoir un fils « chauffeur de bus dans les airs ». Il n'en fallut pas beaucoup plus pour que Fred le convainque que son choix de quitter Trump Management serait forcément synonyme d'échec. L'élément essentiel qui échappait à Linda – et, pour être honnête, sans doute à Freddy aussi – était à quel point l'opinion de Fred Trump comptait pour son fils.

Un soir, alors qu'il rentrait de sa dernière rotation, Freddy avait l'air particulièrement tendu. Pendant le dîner, il déclara : « Il faut qu'on divorce. »

Linda était sous le choc. Son mari semblait certes plus stressé que d'habitude, mais elle l'attribuait au fait de se sentir responsable de la vie de plus de deux cents personnes chaque fois qu'il pilotait.

« Freddy, de quoi tu parles ?

— Ça ne marche pas, Linda, je ne vois pas comment on peut continuer.

— Tu n'es même pas là la moitié du temps, répondit-elle, sidérée. On a un bébé. Comment peux-tu dire ça ? »

Freddy se leva et alla se servir un verre.

« Laisse tomber », dit-il, et il quitta la pièce.

Ils ne reprirent jamais cette conversation et, après quelques jours, ils continuèrent leur vie comme s'il ne s'était rien passé.

En juin, Donald, âgé de dix-huit ans et fraîchement diplômé de l'Académie militaire, et Robert, scize ans, encore élève à St. Paul, l'ancien collège de Freddy, vinrent en visite à Marblehead à bord de la toute nouvelle voiture de sport de Donald, cadeau de ses parents pour son bac — un cran au-dessus de la valise que Freddy avait reçue à la fin de ses études.

Freddy avait hâte de les voir. Aucun de ses frères et sœurs n'était jamais monté en avion avec lui ni n'avait exprimé d'intérêt pour sa nouvelle carrière. Il espérait peut-être, en initiant ses frères à son monde, trouver en eux des alliés ; qu'une personne de la famille croie en lui pourrait lui redonner des forces pour résister à la désapprobation paternelle.

Au moment de cette visite, Donald était à la croisée des chemins. Quand, en décembre 1963, Freddy avait annoncé qu'il démissionnait de Trump Management, Donald avait été pris au dépourvu. Cette décision était intervenue à la fin du premier semestre de sa dernière année de lycée et, comme il ne s'appelait pas Fred, il ne voyait pas bien ce que pourrait être son futur rôle dans la société, même s'il avait l'intention d'y travailler sous une forme ou une autre. À cause de cette incertitude, il n'avait pas vraiment planifié son avenir au-delà du lycée. Lorsqu'il obtint son diplôme de l'Académie militaire de New York ce printemps-là, il n'était encore inscrit dans aucune université pour la suite. En rentrant à la Maison, il avait demandé à Maryanne de l'aider à trouver une place dans un établissement local.

Freddy et Linda avaient prévu un barbecue pour le déjeuner, au cours duquel Donald leur annonça qu'il partait bientôt à Chicago avec leur père afin de « l'assister » dans un projet qu'il envisageait là-bas. Le soulagement de Freddy était palpable. Peut-être Fred commençait-il à accepter la nouvelle réalité et avait-il décidé de faire de Donald son héritier.

Plus tard dans l'après-midi, Freddy emmena ses frères pêcher sur son « yacht ».

Malgré ses efforts répétés pour apprendre à Donald les rudiments de ce sport, ce dernier n'avait jamais attrapé le coup. Il était encore à la NYMA la dernière fois qu'ils étaient montés sur un bateau ensemble, en compagnie de Billy Drake et de deux autres amis de Freddy. Quand l'un d'eux avait voulu lui montrer comment tenir la canne correctement, Donald s'était écarté en disant :

« Je sais ce que je fais.

— Ouais, mon pote, et tu le fais super mal. »

Les autres avaient éclaté de rire. Donald avait jeté sa canne à pêche sur le pont et était parti vers la proue d'un pas furibond. Il fulminait tellement qu'il ne regardait pas où il mettait les pieds et Freddy avait eu peur qu'il tombe à l'eau. Force fut de constater que les talents de pêcheur de Donald ne s'étaient pas améliorés entre-temps.

Quand les trois frères revinrent du port, Linda était en train de préparer à dîner. Dès qu'ils arrivèrent, elle perçut une tension. Quelque chose avait changé. La bonne humeur de Freddy avait cédé la place à une colère muette à peine contenue. Pourtant, à l'époque, il ne s'énervait pas souvent, et elle le prit comme un mauvais signe. Il se servit à boire. Encore un mauvais signe.

Avant même qu'ils se mettent à table, Donald commença à s'en prendre à son grand frère.

« Tu sais, papa en a vraiment marre de te voir gâcher ta vie, déclara-t-il, comme s'il s'était soudain rappelé pourquoi il était là.

— Je n'ai pas besoin de toi pour me dire ce que pense papa, rétorqua Freddy, qui ne connaissait déjà que trop bien les opinions de son père.

— Il dit qu'il a honte de toi.

— Je ne vois pas ce que ça peut te faire. Tu veux travailler avec papa, vas-y. Moi, ça ne m'intéresse pas.

— Freddy, insista Donald, papa a raison : tu n'es jamais qu'un chauffeur de bus amélioré. »

Donald ne comprenait peut-être pas l'origine du mépris

de leur père envers Freddy, ni la décision de celui-ci de devenir pilote de ligne, mais il avait l'instinct infaillible des persécuteurs pour trouver le point faible de leurs adversaires.

Freddy devina que ses frères avaient été envoyés afin de transmettre en personne le message de leur père ; du moins Donald. Mais entendre les mots dénigrants de Fred sortir de la bouche de son petit frère lui brisa le moral.

Linda entendit leur échange depuis la cuisine et revint dans le salon à temps pour voir Freddy blêmir. Elle posa violemment sur la table l'assiette qu'elle avait à la main et hurla à son beau-frère : « Tu ferais mieux de la fermer, Donald ! Est-ce que tu te rends compte du boulot qu'il a dû abattre pour en arriver là ? Tu ne sais pas de quoi tu parles ! »

Freddy n'adressa plus la parole à ses frères de toute la soirée, et ils repartirent pour New York le lendemain matin, un jour plus tôt que prévu.

Freddy buvait de plus en plus.

En juillet, TWA lui offrit une promotion. La compagnie voulait l'envoyer à Kansas City pour le former sur les nouveaux 727 qui allaient bientôt entrer dans la flotte. Il déclina, bien que Linda lui fît remarquer qu'il n'aurait jamais désobéi à un ordre de ses supérieurs dans la National Guard. Il expliqua à la direction qu'ayant signé un bail d'un an pour une maison meublée à Marblehead à peine deux mois plus tôt, il ne pouvait pas justifier de déplacer à nouveau sa famille. En vérité, Freddy commençait à se dire que son rêve touchait à sa fin. Il avait perdu espoir que son père adhère à son choix de devenir pilote, et sans son aval il ne pourrait sans doute pas continuer. Jusqu'à sa démission de Trump Management, il avait passé sa vie à faire de son mieux pour devenir la personne que son père voulait qu'il soit. Voyant que ses efforts se soldaient systématiquement par un échec, il avait espéré qu'en réalisant son propre rêve, il finirait par être accepté pour ce qu'il était vraiment. Toute son enfance, il avait dû naviguer sur le champ de mines de l'acceptation paternelle, et il savait pertinemment qu'il n'y avait qu'une seule façon de l'obtenir : en étant quelqu'un qu'il n'était pas. Ce qu'il ne parviendrait jamais à faire. L'approbation de son père comptait pourtant plus que tout. Fred était, et avait toujours été, le juge ultime de la valeur de ses enfants (raison pour laquelle, à près de quatre-vingts ans, ma tante Maryanne continuait à rechercher les éloges de son père mort depuis longtemps).

Quand TWA proposa ensuite à Freddy de voler depuis l'aéroport d'Idlewild, il sauta sur l'occasion, pensant que c'était peut-être le moyen de sauver la situation. D'un point de vue pratique, cette décision n'avait aucun sens, car il devrait faire le trajet entre Marblehead et New York tous les trois ou quatre jours. Pire, ça le rapprochait de Fred. À moins que ce ne soit justement le but… Même s'il ne parvenait pas à obtenir la bénédiction paternelle, ce serait peut-être plus facile de le convaincre que l'aviation était sa vocation s'il le voyait de plus près. Entre deux vols, Freddy amenait ses copains pilotes à la Maison pour leur présenter sa famille, espérant impressionner Fred. C'était un peu la tentative de la dernière chance, car il avait déjà tout essayé.

Au bout du compte, cela ne changea rien. Fred ne digéra jamais la trahison. Bien que Freddy se soit inscrit à une formation d'officiers, à une fraternité étudiante et à un aéro-club – toutes choses que Fred aurait dédaignées mais dont il n'était sans doute pas au courant –, ces activités n'avaient pas altéré son projet de travailler pour son père afin d'assurer la pérennité de l'empire. Du point de vue de Fred, la démission de Freddy avait dû être perçue comme un acte d'irrévérence impardonnable. Paradoxalement, c'est le genre d'audace que Fred avait voulu inculquer à son fils, mais elle avait été utilisée à mauvais escient. Ce geste sans précédent lui avait donné le sentiment que son autorité était remise en cause et qu'il n'avait plus le pouvoir sur tout, notamment sur les choix de vie de son fils.

Quelques semaines après la visite de Donald et de Robert, un orage d'été éclata dans le ciel de Marblehead. Linda était dans le salon en train de repasser les chemises blanches de l'uniforme de Freddy quand le téléphone sonna. Dès qu'elle entendit la voix de son mari au bout du fil, elle sut que quelque chose n'allait pas. Il avait quitté son boulot chez TWA, lui annonça-t-il. Ils allaient devoir redéménager à New York le plus vite possible. Linda était abasourdie. Que Freddy renonce à tout ce pour quoi il s'était donné autant de mal après quatre mois seulement n'avait aucun sens.

En vérité, TWA lui avait posé un ultimatum : s'il démissionnait, il pourrait garder son brevet ; sinon, la compagnie serait obligée de le licencier en raison de ses graves problèmes d'alcoolisme. Et si Freddy se faisait licencier, il ne pourrait sans doute plus jamais voler. Il choisit donc la première option, et ainsi prit fin leur vie à Marblehead. Juste après le week-end du Labor Day, début septembre, la petite famille se réinstalla dans l'appartement d'angle au huitième étage du Highlander, à Jamaica.

Mais Freddy n'avait pas entièrement renoncé à sa carrière de pilote. Peut-être, pensait-il, que s'il recommençait au sein de plus petites compagnies, sur de plus petits avions et des lignes plus courtes, moins stressantes, il pourrait remonter les échelons peu à peu. Pendant que Linda et leur fils Fritz emménageaient dans le Queens, Freddy partait à Utica, une petite ville dans le nord de l'État de New York où il avait décroché un poste chez Piedmont Airlines, qui opérait des lignes intérieures dans le nord-est. Ce boulot dura moins d'un mois.

Il partit alors dans l'Oklahoma travailler pour une autre compagnie locale. Il était là-bas quand Fritz fêta son deuxième anniversaire. En décembre, il était de retour dans le Queens. Son alcoolisme était devenu ingérable et il savait qu'il ne pouvait plus voler. Seul self-made-man de la famille, Freddy était en train de se faire lentement, inexorablement anéantir.

Moins d'un an après avoir commencé, sa carrière de pilote était finie. Sans autre solution, il se retrouva debout devant son père, assis à sa place habituelle sur la causeuse de la bibliothèque pour lui quémander un travail dont il ne voulait pas et dont Fred ne le pensait pas capable.

Fred accepta à contrecœur, faisant bien comprendre à Freddy qu'il lui accordait une faveur.

C'est alors qu'une nouvelle lueur d'espoir jaillit. En février 1965, Fred racheta le site de Steeplechase Park, un des trois parcs d'attractions emblématiques de Coney Island construits au début du siècle. Steeplechase avait survécu à ses deux concurrents de plusieurs décennies : Dreamland avait été détruit par le feu en 1911 et Luna Park, également touché par plusieurs incendies, avait fermé ses portes en 1944. Fred possédait un ensemble immobilier et un centre commercial baptisés Luna Park non loin du site originel. Steeplechase resta en fonction jusqu'en 1964. La famille Tilyou en était propriétaire depuis le début, mais plusieurs facteurs – dont la criminalité galopante et une concurrence croissante dans le business des loisirs – les avaient convaincus de vendre. Fred, qui avait appris que Steeplechase risquait d'être mis sur le marché, avait des vues dessus. L'idée était d'y bâtir un nouveau complexe dans le style du Trump Village, mais il faudrait d'abord surmonter un obstacle de taille : faire modifier le plan d'urbanisme local pour qu'il passe d'un usage public à de la construction privée. Tout en attendant la mise en vente officielle, Fred commença à faire pression sur ses vieux complices pour s'assurer de leur soutien et à esquisser les grands traits de sa future proposition.

Il fit miroiter à Freddy la possibilité de l'associer à cet ambitieux projet et celui-ci, impatient de monter en grade et de tourner la page TWA, sauta sur l'occasion. Il soupçonnait que ce serait sans doute sa dernière chance de faire ses preuves aux yeux de son père.

À ce moment-là, Linda était enceinte de six mois. Je n'allais pas tarder à naître.

II

Du mauvais côté du manche

5

Cloué au sol

Depuis septembre 1964, Donald vivait à la Maison et fréquentait l'université de Fordham, dans le Bronx, à une demi-heure de trajet (ce qu'il se garderait bien de mentionner par la suite). Passer de la discipline de la New York Military Academy au relatif laxisme d'une fac n'était pas facile pour ce garçon, qui se retrouvait souvent désœuvré et tuait le temps en roulant des mécaniques dans le quartier, cherchant des filles à draguer. Un après-midi, il tomba sur Annamaria, la petite amie de Billy Drake, en train de regarder son père laver sa voiture. Donald savait qui elle était, mais ne lui avait jamais adressé la parole. Annamaria avait beaucoup entendu parler de Donald par Freddy. Ils se mirent à discuter, et elle lui raconta qu'elle avait fréquenté un pensionnat situé non loin de la NYMA.

« Lequel ? » demanda-t-il.

Quand elle le lui dit, il la regarda une seconde et lâcha : « Quelle déception. » Annamaria, de trois ans son aînée, répliqua : « Qui es-tu pour être déçu par ce que je fais ? » Cela mit fin à la conversation. La conception du flirt de

Donald était d'insulter et de prendre des airs supérieurs. Elle le trouva puéril, semblable à un gamin de CM1 qui tire les cheveux d'une fille pour lui exprimer son affection.

Freddy étant apparemment tombé en disgrâce, Donald vit là une occasion de prendre sa place en tant que bras droit de leur père chez Trump Management. La leçon assimilée : être le meilleur – même par des moyens que son père n'avait pas prévus –, Donald était bien décidé à décrocher un diplôme à la hauteur de ses nouvelles ambitions, ne fût-ce que pour pouvoir s'en vanter. Fred ne connaissait rien aux mérites comparés des différentes universités – ni lui ni ma grand-mère n'avaient fait d'études supérieures –, et les enfants Trump étaient livrés à eux-mêmes pour choisir leur établissement. Informé de la réputation de la Wharton School, une école de commerce qui faisait partie de l'université de Pennsylvanie (« Penn », pour faire court), Donald se mit en tête d'y entrer. Malheureusement, si Maryanne avait fait ses devoirs pour lui, elle ne pouvait pas aller jusqu'à se substituer à lui lors des examens, et Donald craignait que sa moyenne, qui le reléguait très loin de la tête de classe, fasse capoter sa candidature. Pour assurer ses arrières, il engagea Joe Shapiro, un jeune homme intelligent dont on disait qu'il était bon aux examens, pour passer les SAT – les évaluations nationales – à sa place. La combine était bien plus facile qu'aujourd'hui, en cette époque d'avant les cartes d'identité avec photo et les dossiers numérisés. Donald, qui n'avait jamais les poches vides, paya grassement son copain. Pour ne rien laisser au hasard, il demanda aussi à Freddy de parler à James Nolan, un de ses camarades de St. Paul, qui travaillait justement au bureau des admissions de Penn. Nolan pourrait peut-être glisser un mot en sa faveur.

Freddy accepta volontiers de donner ce coup de main, d'autant plus qu'il avait ses propres raisons : s'il n'avait jamais considéré Donald comme un rival ni craint qu'il cherche à prendre sa place, il était agacé par son petit frère, de plus en plus odieux. Ce serait un soulagement de ne pas l'avoir dans les pattes.

En fin de compte, les manigances de Donald n'étaient peut-être même pas nécessaires. En ce temps-là, Penn était bien moins sélective qu'aujourd'hui et acceptait au moins la moitié des candidats. Quoi qu'il en soit, Donald obtint ce qu'il voulait. À l'automne 1966, pour sa troisième année d'études, il quitterait Fordham pour l'université de Pennsylvanie.

Mon grand-père fit l'acquisition de Steeplechase Park pour 2,5 millions de dollars en juillet 1965, deux mois après ma naissance ; un an plus tard, Trump Management peinait toujours à obtenir les autorisations et la modification du plan d'urbanisme nécessaires pour avancer. Le projet était aussi en butte à l'opposition du public.

Freddy racontait à ses amis que rien n'avait changé depuis sa dernière mission pour Trump Management. La surveillance constante de Fred et son manque de respect envers son fils transformaient ce qui aurait pu être un défi excitant en exercice pénible et sans joie. Il allait sans dire qu'un échec aurait été désastreux. Mais Freddy pensait toujours que, s'il contribuait à la réussite du projet, il serait en bien meilleure position face à son père.

Cet été-là, mes parents louèrent une maison de vacances à Montauk, afin que papa échappe à la pression et à la chaleur de Brooklyn. Maman comptait y rester avec Fritz et moi tandis que papa nous rejoindrait d'un coup d'ailes le week-end. L'aéroport récemment rebaptisé JFK n'était qu'à un quart d'heure des bureaux de Trump Management, et l'aérodrome de Montauk, qui se résumait à une petite piste d'atterrissage dans un pré, était juste en face de la maison, ce qui rendait les trajets faciles. Le plus grand plaisir de Freddy était encore d'emmener ses amis en avion à Montauk pour des sorties en mer.

Quand vint la fin de l'été, les projets de mon grand-père pour Steeplechase étaient mal en point, et il le savait. Fred comptait sur ses vieilles relations dans les cercles démocrates de Brooklyn, qui lui avaient fréquemment aplani le terrain par le passé. Mais en ce milieu des années 1960, ses amis politiques commençaient à perdre le pouvoir, et il fut bientôt clair qu'il n'obtiendrait pas la révision du plan d'urbanisme dont il avait besoin. Cela ne l'empêcha pas de confier à Freddy une tâche presque impossible : faire de Steeplechase un succès.

Le temps commençait à manquer. Mon père, à vingt-huit ans, endossait soudain un rôle plus public, donnant des conférences de presse et organisant des séances photo.

Sur l'une d'elles, on le voit, mince dans son trench-coat, dans un entrepôt vide et caverneux. Le regard flottant dans le vaste espace, il paraît minuscule et complètement perdu.

Dans un ultime effort visant à circonvenir une action des riverains pour faire classer le site de Steeplechase, ce qui aurait arrêté net le chantier et fait capoter son projet, Fred décida d'organiser un événement au Pavillon du rire, construit en 1907. L'idée était de fêter la démolition du parc – autrement dit, il comptait détruire ce que les habitants s'efforçaient de sauver avant qu'un classement n'intervienne. Mon père dut annoncer l'événement lors d'une conférence de presse, ce qui fit de lui le visage de la polémique. La soirée consista en un grand tralala avec mannequins en maillot de bain. Le public était invité à jeter des briques (vendues sur place) contre l'emblématique vitrail qui montrait l'énorme visage de Tillie, la mascotte du parc. Sur une photo, mon grand-père brandit une masse de forgeron en souriant à une femme en bikini.

L'événement se révéla calamiteux d'un bout à l'autre. L'attachement, la nostalgie et le sens de la communauté étaient autant de concepts étrangers à mon grand-père, mais en voyant ces vitraux se briser, même lui dut sans doute s'avouer qu'il était allé trop loin. Face à la levée de boucliers locale, il ne put jamais obtenir le permis de construire et dut se retirer du projet Steeplechase.

Cette affaire mettait en lumière l'affaiblissement de ses capacités. Son pouvoir dépendait en grande partie de ses relations. Dans la première moitié des années 1960, d'importants changements s'étaient produits dans la gestion de la ville de New York, et, nombre de ses anciens contacts et complices ayant perdu leur pouvoir et leur situation, Fred était dépassé. Il ne se lancerait plus jamais dans un programme de constructions original. Le Trump Village, achevé en 1964, serait le dernier complexe jamais bâti par Trump Management.

Incapable d'assumer quoi que ce soit, comme Donald plus tard, Fred reprocha à Freddy l'échec de Steeplechase. Freddy finit par se le reprocher lui-même.

Pour ne rien arranger, Donald rentrait de Philadelphie à la Maison presque tous les week-ends. Il ne se sentait finalement pas plus à l'aise à Penn qu'il ne l'avait été à Fordham. Les cours ne l'intéressaient pas, et il se retrouvait peut-être perdu dans l'anonymat d'une fac. Dans les années 1960, la NYMA comptait un nombre record d'élèves – un peu plus de cinq cents, de la quatrième à la terminale –, mais ils étaient plusieurs milliers à Penn. À l'Académie militaire, Donald avait survécu à ses deux premières années en puisant dans ses talents acquis à la maison : sa capacité à feindre l'indifférence dans la douleur et la déception, à accepter la tyrannie des plus grands, des plus costauds. Il n'était pas très bon élève, mais il avait un certain charme, une manière de s'attirer la sympathie qui, à l'époque, n'était pas entièrement fondée sur la cruauté. Au lycée, Donald avait été un assez bon sportif, un garçon capable de séduire avec ses yeux bleus, ses cheveux blonds et son aplomb. Il avait toute l'assurance d'une brute qui sait qu'elle obtiendra toujours ce qu'elle veut sans avoir à se battre. En terminale, il était devenu suffisamment populaire auprès de ses camarades pour qu'ils le choisissent comme meneur du contingent envoyé par la NYMA défiler à New York dans la parade de Columbus Day. À Penn, il n'avait aucun triomphe en vue et ne voyait aucune raison d'y passer plus de temps que nécessaire. De toute manière, il ne cherchait que le prestige du diplôme.

Dans les moments cruciaux de l'affaire Steeplechase, pendant le fiasco puis ses retombées, Donald ne fut pas avare de commentaires critiques. Freddy, qui ne s'était jamais forgé l'armure nécessaire pour endurer les moqueries et les humiliations de son père, supportait particulièrement mal de se faire étriller devant ses frères et sœurs. Dans leur enfance, Donald avait été à la fois spectateur et victime collatérale. Maintenant qu'il avait grandi, il était convaincu que plus Freddy continuerait de perdre l'estime de leur père, plus lui-même en bénéficierait, c'est pourquoi il lui arrivait fréquemment d'observer en silence ou de mettre son grain de sel.

Mon père et mon grand-père étaient en train d'analyser la déconfiture Steeplechase dans la salle à manger. Les commentaires de Fred étaient acrimonieux et accusateurs, ceux de Freddy défensifs et pleins de remords. Donald dit tranquillement à son frère, comme s'il n'avait aucune conscience de l'effet de ses paroles : « Tu resterais peut-être plus dans le coup si tu ne t'envolais pas pour Montauk tous les week-ends. »

Les frères et sœurs de Freddy savaient que leur père avait toujours réprouvé ce qui, désormais, n'était plus qu'un hobby pour lui. C'était un accord tacite entre eux : on ne parlait pas des avions ni des bateaux devant le Vieux. La manière dont Fred réagit à la révélation de Donald confirma qu'ils avaient raison. « Bazarde-moi ça », dit-il. La semaine suivante, l'avion était vendu.

Si Fred rendait Freddy malheureux, le besoin d'approbation de ce dernier sembla s'intensifier après Marblehead et encore davantage après le fiasco Steeplechase. Il aurait fait n'importe quoi pour être accepté par son père. Qu'il en ait conscience ou non, cela ne lui serait jamais accordé.

En emménageant au Highlander, Freddy et Linda avaient craint que les autres locataires n'accablent de plaintes le fils du propriétaire. À présent, c'étaient eux les derniers de la liste lorsque des réparations étaient nécessaires.

Les fenêtres de la chambre d'angle de mes parents au huitième étage offraient une vue imprenable en direction du sud et de l'est, mais elles étaient exposées aux fortes bourrasques. En outre, toutes les pièces étaient équipées de climatiseurs encastrés, mais qui avaient été mal installés, si bien que la condensation s'accumulait entre le Placoplâtre et les briques extérieures chaque fois qu'on allumait l'air conditionné, pour se chauffer comme pour se rafraîchir. Avec le temps, l'accumulation d'humidité finit par ramollir le placo. En décembre, les murs de la chambre étaient à ce point détériorés qu'un courant d'air glacé soufflait en permanence à l'intérieur. Ma mère tenta bien de tapisser le mur autour du climatiseur avec des bâches en plastique, mais le froid polaire continuait d'entrer. Même avec le chauffage à fond, leur chambre restait glaciale. Le gardien du Highlander ne répondit jamais quand ils demandèrent qu'on envoie des réparateurs, et le mur ne fut jamais assaini.

Le Nouvel An 1967 fut particulièrement rude, mais mes parents affrontèrent quand même la pluie et le vent pour aller réveillonner avec des amis au Gurney's Inn, à Montauk. Lorsqu'il fut temps de repartir pour Jamaica au petit matin du premier de l'An, la température était encore descendue et la pluie avait tourné au déluge. Freddy sortit pour chauffer la voiture, mais la batterie était morte. En manches de chemise, il s'acharna à démarrer le moteur et fut trempé jusqu'aux os. Le temps que Linda et lui regagnent l'appartement et leur chambre pleine de courants d'air, il était malade.

Entre le stress des deux dernières années et sa consommation d'alcool et de tabac (il en était alors à deux paquets de cigarettes par jour), Freddy était déjà en mauvaise forme. Son rhume s'aggrava rapidement, et quelques jours plus tard il grelottait toujours, emmitouflé dans une couverture, prisonnier des courants d'air. Linda n'arrêtait pas d'appeler le gardien, en vain. Elle finit par téléphoner à son beau-père. « Je vous en prie, beau-papa, implora-t-elle. Il doit bien y avoir quelqu'un qui peut faire la réparation. Peut-être un agent d'entretien d'un autre immeuble de

Jamaica Estates ou de Brooklyn ? Freddy est tellement malade ! » Mon grand-père lui suggéra de reparler au gardien du Highlander ; il ne pouvait rien pour elle.

Ils vivaient depuis si longtemps dans les limites du parc immobilier de Fred Trump qu'il ne leur vint même pas à l'esprit d'engager un ouvrier ne travaillant pas pour lui. Ce n'était pas ainsi qu'on faisait les choses dans la famille ; on sollicitait la permission de Fred, qu'elle soit nécessaire ou non. Le mur ne fut jamais réparé.

Une semaine après le Nouvel An, le père de Linda l'appela pour l'informer que sa mère avait fait une attaque. Linda ne voulait pas quitter le chevet de son mari, mais sa mère était dans un état grave, et elle prit un avion pour Fort Lauderdale aussitôt qu'elle eut trouvé une solution pour nous faire garder.

Peu après, ma grand-mère Mary – que nous, ses petits-enfants, surnommions Gam – l'appela là-bas pour lui annoncer que Freddy était à l'hôpital de Jamaica avec une pneumonie lobaire. Linda remonta dans le premier avion et sauta dans un taxi qui l'emmena directement de l'aéroport à l'hôpital.

Mon père était encore hospitalisé le 20 janvier 1967, pour leur cinquième anniversaire de mariage. Sans se laisser décourager par son mauvais état de santé et son alcoolisme de plus en plus prononcé, ma mère introduisit en douce dans la chambre une bouteille de champagne et deux flûtes. Quels que soient la situation et l'état de son mari, ils étaient bien décidés à se faire plaisir.

Papa était sorti de l'hôpital depuis seulement quelques

semaines lorsque Linda reçut un nouveau coup de fil de son père. Sa mère se remettait de son attaque, lui dit-il, mais il n'aimait pas l'idée de la laisser à la merci des infirmières alors qu'il avait de longues journées de travail. Le stress du boulot, le coût des soins de sa femme et son inquiétude constante pour elle les épuisaient tous les deux. « Je suis au bout du rouleau, lui confia-t-il. Je ne vois pas comment on va pouvoir continuer. »

À l'entendre si désemparé, Linda craignit qu'il veuille dire par là que sa femme et lui feraient mieux d'en finir, et qu'ils aient un geste malheureux. Lorsqu'elle s'ouvrit à Freddy de la situation précaire de ses parents, il lui répondit de ne pas s'en faire et appela son beau-père en lui promettant de l'aider. « Arrêtez de travailler, Mike. Occupez-vous de belle-maman. » L'argent n'était pas un problème, du moins à l'époque, mais Freddy appréhendait un peu la réaction de son propre père lorsque celui-ci aurait vent de l'affaire.

« Bien sûr, lui dit ce dernier. C'est ce qui se fait, en famille. » Mon grand-père y croyait comme il croyait que ça se faisait d'envoyer ses enfants à l'université ou d'adhérer à un country club : même si cela ne l'intéressait ou ne lui importait pas, c'était « ce qui se faisait », point final.

Après l'échec de Steeplechase, Freddy se trouva un peu désœuvré chez Trump Management. Linda et lui projetaient d'acheter une maison depuis la naissance de mon frère, et maintenant qu'il avait du temps libre, ils commencèrent à en chercher une. Ils ne tardèrent pas à en trouver une idéale : cinq pièces sur deux mille mètres carrés de terrain à Brookville, une jolie petite ville cossue sur Long Island. Freddy aurait au moins une demi-heure de trajet en plus pour aller travailler, mais le changement de décor et la libération que cela représentait de ne plus être dans un immeuble de son père lui feraient du bien. Il assura à l'agent immobilier qu'il avait les moyens et qu'il obtiendrait un prêt sans aucune difficulté.

Lorsque la banque l'appela quelques jours plus tard pour l'informer que sa demande de prêt était rejetée, il en resta abasourdi. À l'exception de la parenthèse chez TWA, il travaillait pour son père depuis presque six ans. Il était toujours cadre chez Trump Management, une boîte qui rapportait des dizaines de millions de dollars nets par an. En 1967, la société pesait une centaine de millions. Freddy gagnait correctement sa vie, il n'avait pas beaucoup de dépenses, et il y avait en outre le trust et un portefeuille d'actions (qui fondait à vue d'œil). L'explication la plus plausible était que Fred, encore enragé par ce qu'il considérait comme une trahison de la part de son fils et assommé par l'échec de Steeplechase, était intervenu d'une manière ou d'une autre pour empêcher la transaction. Mon grand-père avait des relations haut placées et des comptes en banque bien garnis chez Chase, Manufacturers Hanover Trust et toutes les autres grandes banques de Manhattan : aussi facilement qu'il pouvait obtenir un prêt immobilier pour Freddy, il pouvait s'assurer qu'il en soit privé. Nous étions bel et bien coincés dans l'appartement délabré de Jamaica.

Début juin, mon père était impatient de passer un nouvel été à Montauk. Mes parents relouèrent la même maison de vacances et, en vendant quelques-unes de ses actions les plus rentables, papa acheta un Chrisovich 33 qui, avec sa tour de presque cinq mètres pour la pêche au thon, était bien mieux équipé que le précédent bateau. Il se racheta aussi un avion, cette fois un Cessna 206 Stationair, qui avait un moteur plus puissant et pouvait loger plus de passagers que le Piper Comanche.

Mais ces nouveaux jouets n'étaient pas seulement un moyen de récréation. Papa avait un plan. Après Steeple chase, il se voyait de plus en plus placardisé chez Trump Management. Il avait donc eu l'idée de louer le bateau et l'avion à des vacanciers, afin de s'assurer une autre source de revenus. Si cela marchait, il parviendrait peut-être enfin à se libérer de Trump Management. Il engagea un capitaine à plein temps pour les balades en mer ; mais le week-end, au moment qui aurait dû être le plus lucratif, il demandait à se faire emmener, lui, avec ses amis.

Quand elle les rejoignait à bord, Linda remarquait que Freddy buvait davantage que les autres, comme à Marblehead, ce qui provoquait des disputes de plus en plus violentes entre eux. De manière alarmante, Freddy volait aussi de plus en plus souvent en état d'ébriété, et au cours de l'été 1967 Linda devint réticente à monter en avion avec lui. La débâcle se poursuivait. En septembre, papa se rendit compte que son plan ne fonctionnerait pas. Il vendit le bateau, et, quand Fred apprit l'existence de l'avion, s'en débarrassa également.

À vingt-neuf ans seulement, mon père n'avait déjà plus grand-chose à perdre.

6

Un jeu à somme nulle

C'est le rire de papa qui m'a réveillée. Je n'avais aucune idée de l'heure. Il faisait noir dans ma chambre, et la lumière du couloir, vive et incongrue, filtrait sous ma porte. Je suis descendue sans bruit de mon lit. J'avais deux ans et demi, et mon frère de cinq ans dormait loin, à l'autre bout de l'appartement. Je suis allée voir seule ce qui se passait.

La chambre de mes parents était à côté de la mienne, la porte grande ouverte. Toutes les lampes étaient allumées. Je me suis arrêtée sur le seuil. Papa tournait le dos à la commode ; maman, assise sur le lit en face de lui, était penchée en arrière, une main levée, l'autre soutenant son poids sur le matelas. Je n'ai pas immédiatement compris ce que je voyais. Papa braquait un fusil sur elle, le .22 qu'il gardait sur son bateau pour tirer le requin… et il riait aux éclats.

Maman le suppliait d'arrêter. Il a pointé le canon de l'arme vers sa tête. Elle a levé plus haut le bras gauche et

133

hurlé de plus belle. Papa avait l'air de trouver ça drôle. J'ai tourné les talons et couru me recoucher.

Ma mère nous a poussés dans la voiture, mon frère et moi, et nous a conduits chez une amie pour la nuit. Mon père a fini par nous localiser. Il se rappelait à peine ce qu'il avait fait, mais il a promis à ma mère de ne jamais recommencer. Il nous attendait lorsque nous avons regagné l'appartement le lendemain, et ils ont convenu d'essayer de surmonter leurs difficultés.

Mais ils ont repris le train-train quotidien sans affronter leurs problèmes de couple. Rien n'allait s'arranger. Les choses n'allaient même pas rester telles quelles.

À moins de trois kilomètres de là, dans un autre immeuble appartenant à mon grand-père, Maryanne aussi avait des soucis. Son mari, David, avait perdu sa concession Jaguar deux ans auparavant et était toujours sans emploi. N'importe qui d'un peu attentif aurait compris que tout n'était pas rose, mais les frères et sœur de Maryanne et leurs amis se moquaient pas mal de David Desmond, ne voyant en lui qu'un type rondouillard et inoffensif. Freddy n'avait jamais compris ce couple ni pris son beau-frère au sérieux.

Maryanne avait rencontré David à l'âge de vingt-deux ans. Ayant commencé un troisième cycle en politiques publiques à l'université Columbia, elle prévoyait d'aller jusqu'au doctorat, mais, pour éviter la honte d'être traitée de vieille fille par les membres de sa famille (y compris

Freddy), elle avait accepté la demande en mariage de David et arrêté ses études après sa maîtrise.

Le problème de départ était que David, catholique, avait tenu à ce qu'elle se convertisse. Maryanne, qui redoutait de provoquer la colère de son père et de blesser les sentiments de sa mère, appréhendait terriblement de leur demander leur bénédiction.

« Fais ce que tu veux », lui dit Fred lorsqu'elle se décida enfin. Elle expliqua qu'elle était absolument navrée de les décevoir. « Maryanne, je m'en fiche comme de l'an quarante. Tu vas être sa femme. »

Gam, pour sa part, ne dit rien du tout, et le sujet fut clos.

David aimait à prédire à Maryanne que son nom à lui serait un jour bien plus connu que celui des Trump. S'il avait reçu une bonne éducation, il ne semblait pas posséder de talents particuliers pour soutenir ses ambitions. Néanmoins, il restait convaincu qu'il trouverait un moyen de réussir au-delà de ses rêves et de « leur montrer un peu » ce dont il était capable. Las, ses « coups fumants », comme la concession automobile, échouaient toujours ou ne se matérialisaient même pas. David n'était pas marié depuis longtemps lorsqu'il avait commencé à boire.

Maryanne et lui occupaient à titre gratuit un appartement Trump et bénéficiaient, comme le reste de la famille, de la couverture santé fournie par Trump Management. Mais être dispensé de loyer et de frais médicaux ne nourrit toujours pas son homme, et ils n'avaient aucun revenu.

Le plus grand mystère, cela dit, était que Maryanne soit

si dépendante financièrement de son bon à rien de mari, tout comme c'était un mystère qu'Elizabeth vive dans un deux-pièces sinistre à côté du pont de la 59ᵉ Rue, ou que Freddy ne puisse pas s'acheter une maison et que ses avions, ses bateaux et ses voitures de luxe disparaissent systématiquement. Mon arrière-grand-mère et mon grand-père avaient établi des *trust funds* pour tous les enfants de Fred dans les années 1940. Que Maryanne soit autorisée ou non à toucher au capital, ces trusts devaient bien générer des intérêts. Mais les trois aînés avaient été dressés à ne jamais rien demander. Si mon grand-père était le curateur de ces trusts, chacun des enfants était coincé dans sa situation pécuniaire personnelle. Demander de l'aide était forcément un signe de faiblesse, de cupidité, ou une façon de chercher à profiter de l'autre sans rien pouvoir offrir en retour – une exception étant faite pour Donald. C'était tellement mal vu que Maryanne, Freddy et Elizabeth, chacun à sa manière, enduraient des privations qui n'avaient aucune raison d'être.

Après quelques années avec son mari chômeur chronique, Maryanne n'en pouvait plus. Elle approcha sa mère, mais en veillant à ne pas éveiller de soupçons. « Maman, j'ai besoin de pièces pour la lessive », disait-elle l'air de rien quand elle passait à la Maison. Elle pensait que personne ne se doutait de son dénuement. Pour Fred, une fois sa fille mariée, sa vie ne le regardait plus ; mais ma grand-mère, elle, savait. Elle ne posait pas de questions, soit pour ne pas être indiscrète, soit par respect pour la « fierté » de Maryanne, et elle tendait à sa fille une boîte de margarine Crisco en fer-blanc remplie de pièces de 10 et 25 cents récupérées dans les lave-linge communs des immeubles de mon grand-père. Tous les deux ou trois jours, en effet, Gam mettait son étole en renard et partait faire la tournée de Brooklyn et du Queens dans sa Cadillac décapotable rose pour récupérer les pièces. Comme ma tante le reconnaîtrait plus tard, alors que la famille était déjà immensément riche, ces boîtes de Crisco lui avaient sauvé la vie ; sans elles, elle n'aurait jamais pu nourrir son fils, David Jr, ni elle-même.

Au minimum, Maryanne aurait dû pouvoir faire ses courses d'épicerie sans être réduite à quémander des piécettes à ma grand-mère, fût ce de manière oblique. Ainsi, même dans les situations les plus désespérées, les trois aînés Trump n'ont jamais pu compter sur leur famille pour un coup de pouce. Au bout d'un moment, cela ne valait même plus la peine d'essayer. Elizabeth se résigna, tout simplement. Papa en vint à croire qu'il avait le sort qu'il méritait. Maryanne se convainquit de mettre un point d'honneur à ne rien demander ni recevoir. La terreur que leur inspirait mon grand-père était si profondément enracinée qu'ils ne la reconnaissaient même plus pour ce qu'elle était.

La situation avec David Desmond finit par devenir intenable. Il ne trouvait toujours pas de travail et son alcoolisme s'aggravait. À bout, et tout en prenant soin de ne pas avoir l'air de réclamer quoi que ce soit, Maryanne laissa entendre à son père que David serait enchanté par une place chez Trump Management. Mon grand-père ne

demanda pas s'il y avait un problème. Il donna à son
gendre un job de surveillant de parking dans l'un de ses
immeubles de Jamaica Estates.

Donald décrocha son diplôme de l'université de
Pennsylvanie au printemps 1968 et se mit aussitôt à travailler chez Trump Management. Dès son premier jour,
mon oncle de vingt-deux ans reçut plus de marques de
respect et de faveurs et fut mieux payé que mon père ne
l'avait jamais été.

Presque immédiatement, mon grand-père le propulsa
vice-président de plusieurs filiales de Trump Management, le nomma « gérant » d'un immeuble où il n'avait
rien à gérer, lui accorda des honoraires de « consulting »
et l'« engagea » comme banquier.

Son raisonnement était double : d'une part, c'était
un moyen simple de remettre Freddy à sa place tout en
signalant aux autres employés qu'ils étaient sous les ordres
de Donald. De l'autre, cela contribuait à consoler la
position effective de Donald comme héritier présomptif.

Donald savait mieux que personne monopoliser l'attention de son père. Aucun des amis de Freddy ne comprenait pourquoi Fred voyait en lui la huitième merveille
du monde. Quoi qu'il en soit, maintenant que Donald
avait passé quelques étés et week-ends à travailler pour
son père et à visiter des chantiers, Fred lui montrait les
ficelles de l'immobilier. Donald se découvrit rapidement
un goût pour le versant le plus louche des affaires avec
les fournisseurs et pour la navigation dans les structures

de pouvoir politique et financier qui soutenaient l'immobilier new-yorkais. Père et fils pouvaient passer des heures à discuter business, grenouillage politique et ragots pendant que nous, les spectateurs du poulailler, n'avions aucune idée de ce qu'ils racontaient. Non seulement Fred et Donald avaient des traits de caractère et des aversions en commun, mais ils avaient l'aisance de deux égaux, une chose que Freddy n'avait jamais partagée avec son père. Freddy avait des vues plus larges que Fred ou que son frère. Contrairement à Donald, il avait adhéré, pendant ses études, à des groupes et à des organisations qui l'avaient exposé à des points de vue variés. Dans la National Guard et chez TWA, il avait côtoyé une certaine élite, des professionnels qui croyaient en l'existence du bien commun, de choses plus importantes que l'argent : l'expertise, l'engagement, la loyauté. Des gens qui comprenaient que la vie n'est pas un jeu à somme nulle. Mais c'était justement un de ses problèmes. Donald, lui, était aussi étroit d'esprit, borné et égoïste que leur père. Mais il avait, en prime, une assurance et un culot que Fred lui enviait et qui manquaient totalement à Freddy. Des qualités dont Fred comptait bien tirer profit.

Si Donald avait pris un départ fulgurant pour remplacer mon père au sein de Trump Management, sa vie personnelle, en revanche, était en plein flottement. Robert était à l'université de Boston, ce qui lui évitait de partir combattre au Vietnam, et Donald et Elizabeth ne se fréquentaient pas. Freddy faisait son possible pour inclure son petit frère dans ses activités avec ses amis, mais il était rare que cela se passe bien. Ils formaient une petite bande décontractée qui adorait monter dans l'avion de Freddy pour aller dans les Hamptons pêcher et faire du ski nautique. L'absence d'humour de Donald et les airs supérieurs qu'il se donnait les rebutaient. Ils lui faisaient bon accueil par égard pour Freddy, mais ils ne l'appréciaient pas.

Vers la fin de la première année de Donald chez Trump Management, la tension entre les deux frères était palpable. Freddy avait beau s'efforcer de laisser les rancœurs au bureau, Donald, lui, ne lâchait jamais rien. Malgré tout, quand la petite amie de Billy Drake, Annamaria, organisa un dîner chez elle, Freddy demanda s'il pouvait venir avec son frère.

La soirée ne se passa pas tellement mieux que la fois où Donald avait essayé de la draguer devant chez elle, quelques années plus tôt. Peu après l'arrivée des frères Trump, des éclats de voix firent sortir Annamaria de sa cuisine, où elle préparait le dîner. Elle trouva Donald debout à quelques centimètres de son frère, tout rouge, lui pointant le doigt sous le nez. Donald semblait prêt à frapper Freddy, au point qu'elle s'interposa entre leurs deux hautes silhouettes. Freddy recula d'un pas et dit, les dents serrées : « Donald, dehors. »

Donald parut abasourdi mais s'en alla d'un pas furieux en lançant : « Très bien ! Vas-y, toi, bouffe-le, son rosbif ! » avant de claquer la porte.

« Imbécile ! » cria Annamaria dans son dos. Puis elle se retourna vers Freddy. « Qu'est-ce qui s'est passé ? »

Secoué, Freddy répondit simplement : « Des histoires de boulot. » Et il n'en reparla plus.

Au Highlander, la situation ne s'améliorait pas. Alors que ma mère avait la phobie des serpents, mon père rapporta un jour un python royal et installa son terrarium dans la pièce à vivre, ce qui obligeait ma mère à passer devant chaque fois qu'elle voulait faire une lessive, entrer dans la chambre de mon frère ou sortir de l'appartement. Cette cruauté gratuite aggrava leurs disputes, et, en 1970, ma mère dut reconnaître qu'elle était à bout. Elle demanda à papa de partir. Lorsqu'il revint sans prévenir deux semaines plus tard et entra sans façons, elle appela mon grand-père en exigeant qu'il fasse changer les serrures. Pour une fois, Fred n'émit pas d'objections. Il ne posa aucune question, et ne lui fit aucun reproche. Il lui dit simplement qu'il allait s'en occuper, ce qu'il fit.

Depuis, papa n'a plus jamais vécu avec nous.

Ma mère informa Matthew Tosti, un des avocats de mon grand-père, qu'elle voulait divorcer. M. Tosti et son associé, Irwin Durben, travaillaient pour Fred depuis les années 1950. Avant la séparation de mes parents, M. Tosti était déjà le principal contact de ma mère pour toutes les questions se rapportant à mon frère, à moi-même et à l'argent. Il devint son confident ; dans le paysage blafard de la famille Trump, il se détachait comme un allié chaleureux et un vrai soutien. Elle le considérait comme un ami.

Si sincèrement gentil qu'il ait pu être, M. Tosti ne per-dait pas de vue la main qui le nourrissait. Ma mère avait beau avoir son propre défenseur, le contrat de divorce aurait aussi bien pu avoir été dicté par mon grand-père. Il savait que sa belle-fille n'avait aucune idée de la fortune familiale ni des perspectives futures de Freddy, en tant que fils d'un homme excessivement riche.

Ma mère reçut une pension alimentaire de 100 dol-lars par semaine, plus 50 dollars par semaine pour éle-ver ses enfants. À l'époque, ce n'étaient pas des sommes négligeables, d'autant que les grosses dépenses – frais de scolarité, colonies d'été et assurance médicale – étaient couvertes à part. Mon père était aussi tenu de payer le loyer. Comme mon grand-père était propriétaire de notre immeuble, il ne s'élevait qu'à 90 dollars par mois. (J'ai appris des années plus tard que mon frère et moi pos-sédions chacun dix pour cent du Highlander ; avec le recul, je me dis que c'était abusif de nous faire payer un loyer.) L'obligation de loyer de mon père était plafonnée à 250 dollars, ce qui limitait nos choix si nous voulions un jour déménager dans un appartement plus confortable ou un meilleur quartier. Mon père, héritier d'une famille qui à l'époque pesait bien plus de cent millions de dol-lars, accepta de payer des écoles et universités privées. Mais M. Tosti devait approuver nos projets de vacances. Comme il n'y avait pas de biens à partager, les revenus nets de ma mère se résumaient aux 600 dollars qu'elle recevait chaque mois, une somme qui ne serait jamais révisée au cours des dix ans à venir. Après déduction des dépenses, il lui restait à peine de quoi mettre trois sous de côté. Quant à économiser pour acheter une maison, ce n'était même pas la peine d'y penser.

Ma mère obtint la garde complète de mon frère et moi, comme c'était la coutume à l'époque, mais les droits de visite n'étaient pas précisés : « M. Trump sera libre de voir [les enfants], après notification et à tout moment dans les limites du raisonnable. » Dans la grande majorité des cas, le droit de visite se résumait à prendre les enfants un week-end sur deux, plus un dîner par semaine. L'arrangement entre mes parents évolua peu à peu dans ce sens, mais au début il n'y avait aucune règle établie.

Le chantier de Steeplechase fut définitivement mis à l'arrêt en 1969, mais la ville finit par racheter le terrain à mon grand-père. Il retira de l'affaire un profit de 1,3 million, pour n'avoir rien fait d'autre que mettre en pièces un monument cher au cœur des habitants. Mon père, lui, n'y gagna que des reproches.

7

Lignes parallèles

Lorsque Freddy (en 1960) puis Donald (en 1968) entrèrent chez Trump Management, tous deux avaient la même ambition : devenir le bras droit de leur père et, un jour, lui succéder. À différentes époques et de différentes manières, ils avaient été préparés pour le rôle, jamais à court de fonds pour acheter des vêtements coûteux et des voitures de luxe. Les points communs s'arrêtaient là.

Freddy n'avait pas tardé à comprendre que son père n'allait pas lui faire de place ni lui déléguer autre chose que les tâches les plus subalternes, un problème qui atteignit un point critique pendant la construction du Trump Village. Se sentant coincé, mal reconnu et malheureux comme les pierres, il était parti chercher la réussite ailleurs. À vingt-cinq ans, il pilotait des Boeing 707 pour TWA et faisait vivre sa jeune famille sans se douter que ce serait là le sommet de sa vie personnelle et professionnelle. À vingt-six ans, de retour chez Trump Management, il avait déjà perdu l'espoir chimérique de réhabilitation prétendument offert par Steeplechase et n'avait plus de perspectives d'avenir.

En 1971, mon père travaillait déjà depuis onze ans pour mon grand-père, moins ses dix mois en tant que pilote. Et pourtant, Fred bombarda Donald, âgé de vingt-quatre ans seulement, à la présidence de Trump Management. Il ne travaillait que depuis trois ans, avait très peu d'expérience et encore moins de qualifications, mais cela ne semblait pas déranger le patriarche.

En vérité, Fred Trump n'avait besoin d'aucun de ses fils dans l'entreprise. Il se nomma lui-même P-DG, mais rien ne changea dans son poste : il était propriétaire foncier, point. Il n'était plus promoteur depuis l'échec de Steeplechase six ans auparavant. De ce fait, le rôle de Donald comme président restait inconsistant. Au début des années 1970, New York étant au bord de l'effondrement économique, le gouvernement fédéral réduisait les fonds de la FHA (en grande partie à cause des coûts de la guerre du Vietnam), ce qui signifiait la fin des subventions pour Fred.

Du point de vue des affaires, promouvoir Donald n'avait aucun intérêt. À quoi, au juste, était-il promu ? Mon grand-père n'avait pas de chantiers en cours, les structures du pouvoir politique dont il avait dépendu pendant des décennies étaient en train de se déliter, et la municipalité de New York était fauchée. Le principal but de cette promotion était de punir et d'humilier Freddy. La dernière punition en date dans une longue série, mais presque certainement la pire, surtout dans ce contexte.

Fred était farouchement déterminé à trouver un rôle pour Donald. Il comprenait peu à peu que si son fils cadet n'avait pas l'attention quotidienne au détail requise pour faire tourner sa société, il était en revanche pourvu de qualités plus précieuses : des idées audacieuses, et le culot pour les réaliser. Fred caressait depuis longtemps le rêve d'étendre son empire de l'autre côté du fleuve, à Manhattan, le Saint-Graal des promoteurs immobiliers new-yorkais. Le début de sa carrière avait témoigné de son penchant pour l'auto-glorification, la dissimulation et l'hyperbole. Étant fils d'immigrés allemands de première génération, il ne parlait l'anglais que comme seconde langue, et ses talents de communication laissaient à désirer : ce n'était pas pour rien qu'il avait suivi les cours de Dale Carnegie. Mais la formation s'était soldée par un échec. Et il y avait un autre obstacle, peut-être encore plus difficile à surmonter : sa mère. Si ouverte d'esprit qu'elle ait pu se montrer à certains égards, elle était dans l'ensemble très austère et traditionaliste. C'était acceptable que son fils réussisse et s'enrichisse. Ça ne l'était pas qu'il se mette en avant.

Donald ne connaissait pas ces limites. Il haïssait Brooklyn autant que Freddy, mais pour de tout autres raisons : pour sa triste atmosphère petite-bourgeoise étriquée, pour son manque de « potentiel ». Il ne songeait qu'à en partir. Trump Management avait son siège sur l'Avenue Z, dans le sud de Brooklyn, au milieu de Beach Haven, l'un des plus grands complexes résidentiels de mon grand-père. Il n'y avait apporté aucun changement. L'étroit vestibule était encombré de meubles, et les petites fenêtres ne laissaient passer qu'une lumière chiche. Si Donald avait évalué les immeubles et les complexes qui l'entouraient en termes de nombre de logements, de prix au mètre carré et de volume de revenu tombant tous les mois dans l'escarcelle de Trump Management, il aurait compris l'aubaine que c'était. Mais non : chaque fois que, debout sur le seuil, il contemplait l'uniformité utilitaire de Beach Haven, il devait être suffoqué par la conviction qu'il valait mieux que cela. Il ne voulait pas d'un avenir à Brooklyn, et il était déterminé à en sortir le plus vite possible.

Hormis se faire conduire dans Manhattan par un chauffeur payé par la société de son père, dans une Cadillac louée par son père, pour « prospecter des acquisitions hors cadre », on aurait pu croire que la fiche de poste de Donald ne l'engageait qu'à mentir sur ses « réussites » et, à ce qu'on disait, à refuser de louer à des Noirs (cela ferait l'objet d'un procès, le ministère de la Justice accusant mon grand-père et Donald de discrimination).

Donald consacrait une partie considérable de son temps à travailler son personnage dans les cercles de Manhattan qu'il rêvait d'intégrer. Appartenant à la première génération d'enfants de la télé, il avait passé des heures à regarder ce médium dont le caractère épisodique – seul compte le moment présent, sans lien avec l'avant et l'après – lui parlait. Cela l'aida à façonner l'image lisse et superficielle qu'il en viendrait à représenter et à incarner simultanément. Son aisance dans ce domaine, alliée à la faveur de son père et à la sécurité matérielle que lui apportait la fortune de ce dernier, lui conférait l'aplomb nécessaire pour réussir ce qui, même au début, était une mascarade : se vendre non simplement comme un riche play-boy, mais aussi comme un brillant homme d'affaires parti de rien.

Dans les premiers temps, cet effort d'expansion fut financé avec enthousiasme, quoique discrètement, par mon grand-père. Fred ne comprit pas immédiatement les limites de son fils, et ne se doutait pas encore qu'il entretenait essentiellement une fiction. Quoi qu'il en soit, Donald se faisait une joie de dépenser l'argent de son père. Fred, pour sa part, était déterminé à laisser les dollars couler à flots dans les poches de son fils. À la fin des années 1960, par exemple, il fit bâtir une tour de logements pour personnes âgées dans le New Jersey, un projet qui fut d'une part un vrai cas d'école en matière d'obtention de fonds publics (Fred reçut un prêt pratiquement à taux zéro de 7,8 millions de dollars couvrant quatre-vingt-dix pour cent des coûts de construction), et de l'autre un exemple des extrémités auxquelles il était prêt à se rendre pour enrichir son deuxième fils. Donald, alors qu'il n'avait pas investi un centime dans la construction de la tour, reçut des honoraires de consulting et fut payé pour administrer la propriété alors qu'il y avait déjà des salariés sur place pour s'en charger. Ce projet à lui seul lui rapporta des milliers de dollars par an bien qu'il n'ait à peu près rien fait ni rien risqué pour le concevoir, le développer ni le gérer.

Dans un tour de passe-passe similaire, Fred acheta pour 5,6 millions aux enchères Swifton Village, un projet public de la FHA dont la construction avait coûté 10 millions. Il décrocha de surcroît un prêt de 5,7 millions qui couvrait également les frais de rénovation et de réparations, si bien qu'il eut les immeubles pour pratiquement rien. Lorsqu'il les revendit plus tard pour 6,75 millions, Donald recueillit tous les lauriers ainsi que l'essentiel des profits.

Les rêves d'aviateur de mon père lui avaient été enlevés, et il avait maintenant perdu son droit d'aînesse. Il n'était plus un mari ; il voyait à peine ses enfants. Il n'avait aucune idée de ce qu'il allait pouvoir faire de sa vie. Ce qu'il savait, c'était que le seul moyen de garder un peu d'estime de soi était de quitter Trump Management, et pour de bon cette fois.

Lorsqu'il partit du Highlander, son premier appartement fut un studio au sous-sol d'une maison mitoyenne en brique, dans une rue calme et ombragée de Sunnyside, dans le Queens. Âgé de trente-deux ans, il n'avait jamais vécu seul.

La première chose que nous y avons vue en passant la

porte était un aquarium abritant deux couleuvres et un terrarium qui contenait un python royal. Deux autres aquariums, l'un rempli de poissons rouges, l'autre peuplé par quelques souris qui remuaient dans la paille, étaient posés sur des tréteaux à gauche des serpents. J'ai bien compris à quoi servaient les souris.

En plus d'un canapé clic-clac, d'une petite table de cuisine flanquée de deux chaises bas de gamme et d'une télé, il y avait encore deux autres terrariums où vivaient un iguane et une tortue. Nous les avons baptisés Tomato et Izzy.

Papa semblait fier de son nouveau logis, et agrandissait sans cesse la ménagerie. Lors d'une visite, il nous fit descendre à la chaufferie et nous montra six canetons blottis dans un carton. Le propriétaire l'avait autorisé à installer des lampes chauffantes pour bricoler un incubateur. Ils étaient si petits que nous devions les nourrir à la pipette.

« Tu n'as qu'à donner un quart de tour au carburateur dans ta tête », dit mon grand-père à mon père, comme si c'était tout ce qu'il avait à faire pour arrêter de boire. Comme si ce n'était qu'une question de volonté. Ils étaient dans la bibliothèque, mais pour une fois assis face à face ; pas tout à fait comme des égaux – ils ne le seraient jamais –, mais au moins comme deux personnes qui avaient un problème à régler, même s'ils risquaient de ne jamais tomber d'accord sur la solution. Si le point de vue du corps médical sur l'alcoolisme et les addictions avait changé du tout au tout au cours des décennies précédentes, la vision du grand public, en revanche, n'avait pas beaucoup évolué. En dépit de programmes de traitement tels que les Alcooliques Anonymes, qui existaient depuis environ 1935, le stigmate de la toxico-manie persistait.

« Décide-toi, c'est tout », dit encore mon grand-père – une platitude inutile que Norman Vincent Peale aurait grandement appréciée. Pour toute philosophie, Fred ne jurait que par la doctrine de la prospérité, cette croyance propre aux chrétiens évangéliques qu'il maniait comme un objet contondant et comme une issue de secours, et qui n'avait jamais fait autant de mal à aucun de ses enfants qu'à ce moment-là.

« C'est comme si tu me demandais de faire un effort pour renoncer au cancer », répondit papa. Il avait raison, mais c'était un trop grand saut intellectuel pour mon grand-père, adepte convaincu de l'idéologie du châtiment des victimes, encore dominante à l'époque.

« Il faut que je m'en sorte, papa. Je ne pense pas pou-voir y arriver tout seul. Je sais que je ne peux pas. »

Au lieu de demander : « Que puis-je faire pour toi ? », Fred demanda : « Qu'attends-tu de moi ? »

Freddy ne sut même pas par où commencer.

Mon grand-père n'avait jamais été malade de sa vie ; il n'avait jamais manqué une journée de travail ; il n'avait jamais été abattu par la dépression, l'anxiété ni le chagrin, pas même quand sa femme avait frôlé la mort. Il semblait n'avoir aucune faiblesse, et n'était donc pas en mesure de les reconnaître ni de les accepter chez autrui.

Il n'avait jamais bien supporté les fractures à répétition et les maladies de Gam. Chaque fois qu'elle était souffrante, il lui disait quelque chose comme : « Tout va très bien. Pas vrai, cocotte ? Le tout est de rester positif », après quoi il sortait de la pièce le plus vite possible, la laissant seule avec ses douleurs.

Parfois, Gam se forçait à répondre : « Oui, Fred. » La plupart du temps elle restait muette, serrait les dents et retenait ses larmes. L'insistance de mon grand-père pour que tout soit « formidable », *great*, ne laissait de place à aucun autre sentiment.

On nous avait dit que papa était malade et qu'il passerait quelques semaines à l'hôpital. On nous dit aussi qu'il devait rendre son appartement – le propriétaire voulait le louer à quelqu'un d'autre, apparemment. Fritz et moi sommes allés chercher les vêtements, les jeux et quelques bricoles que nous avions laissés là-bas. À notre arrivée, l'endroit était presque entièrement vide. Les aquariums n'étaient plus là, les serpents non plus. Je n'ai jamais su ce qui leur était arrivé.

À son retour de son lieu de séjour – hôpital ou centre de désintoxication –, papa s'installa chez mes grands-parents, au grenier. C'était une solution temporaire, et aucun effort ne fut fourni pour en faire un lieu de vie digne de ce nom. Les cartons de rangement et les vieux jouets – y compris le camion de pompiers, la grue et le camion-poubelle que ma grand-mère avait cachés là-haut tant d'années plus tôt – avaient simplement été poussés à un bout de la pièce, et un lit de camp installé dans l'espace ainsi dégagé. Papa posa son téléviseur portable noir et blanc six pouces sur sa vieille cantine de la National Guard, sous la lucarne.

Quand Fritz et moi allions le voir, nous nous installions par terre à côté de son petit lit, et nous regardions tous les trois un flot ininterrompu de vieux films comme *Tora ! Tora ! Tora !* et *Un monde fou, fou, fou, fou*. Quand il était en état de descendre, il se joignait à nous le dimanche pour le film hebdomadaire d'Abbott et Costello.

Au bout d'un mois ou deux, mon grand-père l'informa qu'il y avait une place libre dans les Sunnyside Towers, un ensemble construit par lui en 1968 : un deux-pièces au dernier étage.

Pendant que papa se préparait à partir pour Sunnyside, Maryanne, avec l'aide d'un prêt de 600 dollars, s'apprêtait à reprendre des études, en droit, à la Hofstra Law School. Hofstra n'était pas son premier choix, mais ce n'était qu'à dix minutes de route de Jamaica Estates – suffisamment près pour qu'elle ait le temps de conduire mon cousin David à l'école le matin et d'aller le chercher l'après-midi. Retourner sur les bancs de l'université était son vieux rêve. Elle espérait aussi qu'une carrière juridique lui donnerait suffisamment d'indépendance financière pour quitter un jour son mari. Leur situation était devenue de plus en plus précaire au fil des ans. Le job de gardien de parking procuré par son beau-père avait été une humiliation dont il ne s'était pas remis. Il pouvait être violent avec sa femme, surtout quand il avait bu. Plus d'une fois, il avait brandi une arme à feu ou l'avait menacée avec un couteau pendant que leur jeune fils dormait dans la pièce à côté.

L'idée que Maryanne puisse gagner son indépendance le mit encore plus à cran. Alors qu'elle rentrait de sa première journée de cours, son mari, dans un accès de rage, jeta leur fils de treize ans dehors. Maryanne l'emmena à la Maison, où ils passèrent la nuit. David Desmond père vida leur maigre compte joint et quitta la ville.

Quand la famille était réunie, nous passions l'essentiel de notre temps dans la « bibliothèque », une pièce qui ne contenait pas un seul livre jusqu'à la publication de celui que Donald fit écrire en 1987, *The Art of the Deal* (« L'Art de la négociation », traduit en français sous le titre *Trump par Trump : autobiographie*, L'Archipel, 2017). Les rayonnages servaient à exposer des photos de mariage et des portraits. Le mur du fond, à l'opposé de la baie vitrée qui donnait sur le jardin, était dominé par une photo des cinq frères et sœurs, prise en studio alors qu'ils étaient adultes. Elle remplaçait une version plus ancienne des cinq mêmes, dans les mêmes poses, alors que Freddy avait quatorze ans. Les seules photos de la pièce qui n'aient pas été faites en studio étaient un cliché en noir et blanc de ma grand-mère, hautaine avec son chapeau et son étole en fourrure, descendant

154

d'avion avec mes tantes, encore enfants, sur le tarmac de Stornoway, dans l'île de Lewis qui l'avait vue naître, et une de Donald en uniforme d'apparat de l'Académie militaire de New York, menant le contingent de son école le jour de la parade de Columbus Day à New York. Il y avait deux causeuses capitonnées en vinyle bleu foncé et vert contre les murs et, devant la télé, un grand fauteuil pour lequel les enfants se battaient régulièrement. Mon grand-père, en costume trois-pièces et cravate, restait assis sur la causeuse la plus proche de la lourde table de téléphone en pin à côté de la porte, les pieds posés bien à plat par terre.

Tous les samedis, quand nous n'étions pas à Sunnyside avec papa, Fritz et moi prenions nos vélos et pédalions le long de Highland Avenue et des rues de Jamaica Estates jusqu'à la Maison pour jouer avec notre cousin David – ou plutôt, Fritz et David jouaient ensemble pendant que je les suivais en essayant de ne pas me laisser distancer.

Chaque fois que Maryanne et Elizabeth venaient la voir, Gam s'asseyait avec elles à une petite table en Formica bleu ciel avec des bordures en inox qui semblait tout droit sortie d'un bar à sodas des années 1950. Juste derrière, il y avait un office mal éclairé, grand comme un placard à balais, avec un petit bureau où Gam rangeait ses listes de courses, ses reçus et ses factures. Marie, la dévouée gouvernante, s'y réfugiait souvent pour écouter son petit poste radio ; les jours pluvieux ou froids où David, Fritz et moi étions coincés à la Maison, nous la rendions folle. Nous faisions la course sur un circuit qui, partant du couloir du fond, traversait la cuisine, l'entrée, la salle à manger, l'office, et revenait dans la cuisine, nous poursuivant, nous bousculant, braillant, prenant de la vitesse, l'un de nous finissant invariablement par se cogner contre un meuble. Entre le réfrigérateur et la porte de l'office, Gam nous laissait en général le champ libre, mais quand elle était dans la cuisine elle perdait patience et nous criait d'arrêter. Elle nous menaçait avec la cuiller en bois si nous ne l'écoutions pas : le bruit du tiroir qui s'ouvrait suffisait à nous arrêter un instant. Mais si nous avions la bêtise de continuer à lui tourner autour en faisant du chahut, la cuiller sortait et celui qui était le plus près se faisait taper sur la main. Elizabeth tâchait de nous ralentir au passage en nous attrapant par les cheveux.

Alors, Fritz, David et moi filions généralement au sous-sol : comme les adultes ne faisaient que le traverser pour se rendre à la buanderie ou au garage, nous y étions libres de faire du bruit et de taper dans le ballon de foot ou de monter et descendre chacun notre tour (ou en nous battant) sur le monte-escalier électrique de Gam. Nous passions le plus clair de notre temps dans le grand espace ouvert au bout, toutes lumières allumées. Si l'on faisait abstraction des statues de chefs indiens grandeur nature de mon grand-père, alignées contre le mur du fond tels des sarcophages, c'était un sous-sol tout à fait ordinaire : faux plafond et néons, lino à damier noir et blanc au sol, et un vieux piano droit sur lequel on ne jouait jamais tant il était désaccordé. Le chapeau d'apparat à grand plumet de Donald quand il était porte-drapeau à la NYMA était posé dessus. Je m'en coiffais parfois, même s'il me retombait sur le nez, et j'attachais la mentonnière.

Lorsque je m'y trouvais seule, le sous-sol – à demi éclairé, avec les Indiens en bois montant la garde dans l'ombre – prenait un caractère étrangement exotique. En face de l'escalier, dans un angle, avait été construit un énorme bar en acajou, entièrement équipé avec tabourets de bar, verres poussiéreux et évier en état de marche mais sans alcool : une anomalie dans une maison bâtie par un homme qui ne buvait pas. Un grand tableau à l'huile représentant une chanteuse noire aux belles lèvres charnues et aux hanches généreuses, ondulantes, était accroché au mur derrière. Vêtue d'une robe moulante jaune et or à volants, elle se tenait au micro, la bouche ouverte, les mains tendues. Un ensemble de jazz entièrement composé d'hommes noirs en redingote blanche et nœud papillon noir jouait derrière elle. Leurs cuivres luisaient, leurs bois miroitaient. Le clarinettiste, une étincelle dans l'œil, me regardait bien en face. Je me campais derrière le bar, un torchon sur l'épaule, et préparais des cocktails pour mes clients imaginaires. Ou bien je m'asseyais sur un tabouret, unique cliente, en me racontant que j'étais à l'intérieur du tableau.

Notre oncle Rob, qui n'était pas beaucoup plus vieux que nous et qui nous faisait plutôt l'effet d'un frère que d'un oncle, jouait au foot avec nous dans le jardin quand il venait nous voir de Manhattan. Nous jouions sérieusement, à fond, et, lorsqu'il faisait chaud, faisions des incursions fréquentes dans la cuisine pour aller chercher un Coca ou un jus de raisin. Rob prenait souvent un carré de Philadelphia Cream Cheese ; adossé au réfrigérateur, il retirait le papier alu et engloutissait le fromage frais comme si c'était une barre chocolatée, puis le faisait descendre avec un soda.

Rob était très bon joueur de foot, et j'essayais de rester à la hauteur des garçons, mais j'avais parfois l'impression de leur servir de cible.

Quand Donald était à la Maison, nous nous contentions généralement de nous lancer une balle de base-ball ou de nous faire des passes de foot. Il avait fait du baseball à l'Académie militaire, et il retenait encore moins ses coups que Rob ; il ne voyait pas pourquoi il aurait dû lancer la balle un peu moins fort à ses neveux et nièce de six, neuf ou onze ans. Quand je réussissais à attraper une de ses balles, le choc avec mon gant de cuir résonnait comme un coup de feu contre le mur de soutènement en brique. Même avec les petits, Donald devait absolument être le vainqueur.

Seul le plus acharné des optimistes aurait pu vivre dans les Sunnyside Towers sans désespérer. L'immeuble n'avait pas de gardien, et les plantes et fleurs en plastique qui emplissaient les deux grosses jardinières encadrant la porte d'entrée en Plexiglas étaient perpétuellement nappées d'une mince couche de poussière. Notre couloir au sixième empestait le tabac froid. La moquette humide était d'un gris terne sans âme ; la lumière froide qui tombait du plafond, impitoyable.

Mon père avait atteint le sommet de son standing l'année où ma mère et lui avaient vécu dans un deux-pièces non loin de Sutton Place, juste après leur mariage. À l'époque, ils passaient leurs soirées avec des amis au Copacabana et se rendaient le week-end à Bimini, dans les Bahamas, d'un coup d'avion. À partir de là, ç'avait été la dégringolade, l'inverse exact de la trajectoire de Donald, dont le style de vie devenait chaque année plus extravagant ; Donald vivait déjà à Manhattan quand il a épousé Ivana. Après le mariage, ils ont occupé un trois-pièces sur la Cinquième Avenue, puis un appartement de huit chambres, également sur la Cinquième. Au bout de cinq ans, ils occupaient le triplex à 10 millions de dollars au sommet de la Trump Tower, et tout cela alors que, dans les faits, Donald n'était encore qu'un employé de mon grand-père.

Fred avait créé la société Midland Associates dans les années 1960 au profit de ses enfants. Chacun avait reçu une part de quinze pour cent dans huit immeubles, dont l'un était Sunnyside Towers. La raison immédiate de ce transfert de richesses pour le moins douteux, voire carrément frauduleux, était d'échapper au plus gros de l'impôt sur les donations qui aurait été prélevé dans le cadre d'une transaction honnête et régulière. J'ignore si papa savait qu'il était en partie propriétaire de l'immeuble où il vivait désormais, mais en 1973 sa part devait valoir dans les 380 000 dollars, soit 2,2 millions d'aujourd'hui.

Il semblait n'avoir aucun accès à cet argent : ses bateaux et ses avions avaient disparu ; sa Mustang et sa Jaguar aussi. Il avait gardé ses plaques minéralogiques personnalisées à ses initiales, FCT, mais elles étaient désormais vissées à une vieille Ford LTD. Si mon père avait de la fortune, celle-ci était entièrement théorique. Soit son accès à son trust était bloqué, soit il avait cessé de croire qu'il avait le moindre droit sur son propre argent. Coincé dans un cas comme dans l'autre, il restait à la merci de son père.

Je regardais un match des Mets avec papa à la télévision lorsque l'interphone a sonné. Papa m'a lancé un coup d'œil étonné avant d'aller répondre. Je n'ai pas compris qui était en bas, mais j'ai entendu mon père grommeler : « Merde. » Nous passions un après-midi tranquille, mais voilà que papa avait l'air tendu.

« Donald monte deux minutes, m'a-t-il dit.

— Pourquoi ?

— Aucune idée. » Il semblait contrarié, ce qui était inhabituel chez lui.

Papa a rentré sa chemise dans son pantalon et a ouvert aussitôt que la sonnette a tinté. Il a reculé de quelques pas pour laisser passer son frère. Donald, en costume trois-pièces et chaussures cirées, avait sous le bras une grosse enveloppe entourée de plusieurs larges élastiques. Il est entré dans le living-room.

« Salut, choupette », a-t-il dit en me voyant.

Je lui ai fait coucou de la main.

Donald s'est alors retourné vers mon père. « Bon Dieu,

Freddy », a-t-il lâché en observant la pièce avec dédain. Mon père n'a pas relevé. Donald a jeté l'enveloppe sur la table basse : « Papa a besoin que tu signes ça et que tu le lui rapportes à Brooklyn.

— Aujourd'hui ?

— Ben oui, pourquoi ? T'as du boulot ?

— Tu peux lui apporter, toi.

— Non. Je file à Manhattan visiter des biens en saisie immobilière. C'est l'époque rêvée pour profiter des losers qui ont acheté au sommet du marché. »

Freddy n'aurait jamais osé développer des projets en dehors de Brooklyn. Quelques années plus tôt, partant en week-end dans les Poconos, mes parents avaient traversé le Bronx en voiture et vu défiler des rangées et des rangées de bâtiments condamnés des deux côtés de la route. Linda avait fait remarquer qu'il pourrait monter sa propre affaire et rénover des immeubles dans le Bronx.

« Je ne me vois pas aller contre la volonté de papa, avait dit Freddy. Il n'en a que pour Brooklyn. Il ne serait jamais d'accord. »

Donald regardait maintenant par la fenêtre. « Papa va avoir besoin de quelqu'un à Brooklyn, a-t-il dit. Tu devrais y retourner.

— Et pour faire quoi, au juste ? a soufflé papa avec un petit rire dépité.

— J'en sais rien. Ce que tu faisais avant.

— J'avais ton job. »

Dans le silence gêné, Donald a regardé sa montre.

« Mon chauffeur m'attend. Apporte ça à papa avant seize heures, OK ? »

Après son départ, papa s'est assis à côté de moi sur le canapé et a allumé une cigarette. « Alors, ma puce, ça te dit d'aller faire un tour à Brooklyn ? »

Quand nous allions chez Trump Management, papa faisait une tournée des locaux qui se terminait devant Amy Luerssen, la secrétaire et gardienne de mon grand-père (et aussi ma marraine), dont le poste de travail était situé juste à côté de la porte de son patron. Il était clair que « tatie Amy » adorait l'homme qu'elle appelait « mon Freddy ».

Le bureau de mon grand-père était une pièce carrée à l'éclairage tamisé. Les murs étaient couverts de plaques et de certificats encadrés, et il y avait beaucoup de bustes de chefs indiens avec grande coiffe à plumes un peu partout. Je m'asseyais, choisissais, dans une réserve apparemment infinie, un marqueur Flair bleu et l'un de ces gros blocs de papier brouillon qu'il avait aussi à la Maison, et j'écrivais ou je dessinais jusqu'à l'heure du déjeuner. Quand on m'y laissait seule, je tournais comme une toupie dans son fauteuil.

Mon grand-père nous emmenait toujours déjeuner chez Gargiulo's, un restaurant guindé avec nappes et serviettes en tissu amidonné qu'il fréquentait presque tous les jours. Les serveurs obséquieux le connaissaient, l'appelaient « monsieur Trump », lui tiraient sa chaise et étaient aux petits soins avec lui pendant tout le repas. C'était plus agréable quand tatie Amy ou quelqu'un d'autre du bureau déjeunait avec nous, parce que cela enlevait un peu de pression à papa ; mon grand-père et lui n'avaient pas grand-chose à se dire. Il n'était pas fréquent que Donald soit au bureau en même temps que nous, mais quand nos chemins se croisaient c'était bien pire. Il se comportait comme en terrain conquis, ce que mon grand-père semblait non seulement encourager mais franchement apprécier. Fred se métamorphosait dès qu'il était en présence de Donald.

En 1973, la Division des Droits civiques du ministère de la Justice poursuivit Donald et mon grand-père pour avoir enfreint le Fair Housing Act, une loi votée en 1968, en refusant de louer à *die Schwarze*, comme disait mon grand-père. C'était un des plus grands procès fédéraux pour discrimination que l'on ait connus jusque-là, et le célèbre avocat Roy Cohn proposa son aide. Donald et Cohn s'étaient croisés au Club, un restaurant et boîte de nuit sélect et huppé de la 55e Rue Est fréquenté par les Vanderbilt et les Kennedy, par toutes sortes de célébrités internationales et par quelques membres secondaires de familles royales. L'engagement catastrophique de Cohn dans la croisade anticommuniste ratée de Joseph McCarthy remontait déjà à plus de dix ans. Il avait fini par renoncer à son poste de conseiller principal auprès du sénateur, non sans avoir saccagé la vie et la carrière de dizaines d'individus en raison de leur présumée homosexualité et/ou de leurs liens supposés avec le communisme.

Comme beaucoup d'hommes dotés de ce tempérament vicieux et de relations influentes, Cohn n'obéissait à aucune règle. Adopté par une partie de l'élite new-yorkaise et engagé par divers clients, tels Rupert Murdoch, John Gotti, Alan Dershowitz et l'archidiocèse catholique romain de New York, Cohn avait repris un cabinet privé en ville. Il était rapidement devenu très riche, très célèbre et très puissant.

Si Cohn était aussi tape-à-l'œil que Fred était classique, aussi bruyant que Fred était taciturne, les différences entre eux n'étaient qu'une question de degré, pas de nature. La cruauté et l'hypocrisie de Cohn étaient plus connues du public, mais Fred, dans le contexte intime de sa famille, maîtrisait aussi ces arts-là. Fred avait conditionné Donald à être attiré par des hommes tels que Cohn, de même qu'il le serait plus tard par des dirigeants autoritaires comme Vladimir Poutine, Kim Jong-un et, dans l'ensemble, quiconque aurait la volonté de le flatter et le pouvoir de l'enrichir.

Cohn recommanda que Trump Management contre-attaque en réclamant 100 millions de dollars de dédommagement au ministère de la Justice, alléguant que le gouvernement s'était rendu coupable de déclarations fausses et trompeuses à l'encontre de son client. La manœuvre était à la fois absurde, tapageuse et efficace, du moins en termes de publicité. Pour la première fois, Donald, à vingt-sept ans, faisait la une d'un journal. La contre-attaque fut déboutée, mais Trump Management obtint un règlement à l'amiable. Aucune faute ne fut avouée, cependant ils furent quand même contraints de modifier leurs pratiques pour éviter les discriminations. Quoi qu'il en soit, Cohn et Donald vécurent l'affaire comme une victoire, en raison de la couverture médiatique.

Quand Donald liait son sort à des gens comme Roy Cohn, ses seuls atouts étaient les largesses de Fred et une foi soigneusement cultivée, quoique illusoire, en son propre brio et sa propre supériorité. Par une belle ironie du sort, les défenses qu'il s'était forgées enfant pour se protéger de l'indifférence, de la peur et de la négligence qui avaient dominé ses premières années, avec le spectacle forcé des maltraitances contre Freddy, l'avaient poussé à cultiver ce qui manquait clairement à son grand frère : la capacité à être un « tueur » et un mandataire, comme l'exigeait son père.

À quel moment Fred commença à remarquer Donald, impossible de le savoir avec précision mais je soupçonne que ce fut après l'avoir expédié à l'école militaire. Donald semblait bien répondre à ses exhortations à être un dur, un *killer*, et prouvait sa valeur en se vantant des raclées qu'il recevait des élèves des grandes classes ou en dissimulant sa souffrance d'être exilé loin de chez lui. La confiance croissante que lui accordait Fred créa un lien entre eux, et un aplomb inébranlable chez Donald. Après tout, le personnage le plus important de la famille, le seul dont l'opinion comptait, lui montrait enfin sa faveur. Et contrairement à Freddy, Donald recevait de son père une attention positive.

Après ses études, Donald se lança dans le monde en utilisant les relations de son père pour s'en faire d'autres et l'argent de son père pour construire son image d'apprenti maître de l'Univers. Fred comprit alors que tous les lauriers recueillis par son fils serviraient ses propres intérêts. En effet, si Donald était adoubé comme l'homme d'affaires qui montait, c'était entièrement grâce à Fred Trump – même si Fred était le seul à le savoir.

Dans des interviews du début des années 1980, Fred clamait que la réussite de Donald dépassait de loin la sienne. « Je lui ai laissé la bride sur le cou. C'est un visionnaire, tout ce qu'il touche se transforme en or. Donald est la personne la plus intelligente que je connaisse. » Rien de tout cela n'était vrai, et Fred devait déjà le savoir depuis dix ans.

Après le fiasco de Steeplechase, Fred avait perdu beaucoup d'envergure. S'il voulait étendre son empire, il lui faudrait un nouveau terrain de jeu et un représentant. Il avait besoin que Donald se mette en avant et crée la marque. Il ne lui avait pas fallu longtemps pour se rendre compte que son flambeur de fils n'était pas fait pour la routine sans éclat, gagne-petit et hautement paperassière de la gestion locative. En revanche, il pourrait peut-être mettre à profit son orgueil démesuré et son absence totale de scrupules pour s'imposer à Manhattan. Fred ne déléguait pas facilement ; il s'impliqua étroitement dans les premières incursions de Donald sur le marché de Manhattan, agissant en coulisse pendant que Donald faisait le show. Fred lui permit de jouer un rôle qui comblait son propre désir de notoriété, tout en laissant son fils récolter la réputation d'entrepreneur de Manhattan à laquelle lui, Fred, avait toujours aspiré. Il ne jouirait jamais de la reconnaissance du public, mais il se contentait de savoir que les opportunités qui se présentaient à Donald ne se seraient jamais matérialisées sans lui. Tout ce succès, toutes ces louanges, c'était grâce à Fred et à son immense fortune. Un article sur Donald, c'était en réalité un article sur Fred. Fred savait aussi que si ce secret était divulgué, la combine s'écroulerait. On comprend avec le recul que c'était Fred qui tirait les ficelles, mais qu'il ne pouvait être pris à le faire. Il ne faut pas s'imaginer que Fred n'était pas conscient de l'incompétence de Donald en affaires ; il savait que, dans ce domaine, c'était lui qui avait du talent pour deux. Fred était prêt à parier des millions de dollars sur son fils parce qu'il pensait pouvoir utiliser les atouts de ce dernier – expert de l'autopromotion, menteur sans vergogne, génie du marketing et constructeur de marques – pour atteindre le seul but qui lui avait toujours échappé : une renommée à la hauteur de son ego, propre à satisfaire son ambition comme jamais l'argent ne pourrait le faire.

Lorsque la situation tourna au vinaigre à la fin des années 1980, Fred n'était déjà plus en mesure de se distancier de l'insuffisance spectaculaire de son fils ; il n'avait plus d'autre choix que continuer à s'investir. Le monstre qu'il avait créé était en liberté. Fred ne pouvait désormais

que limiter les dégâts, veiller à ce que l'argent continue
de rentrer, et trouver quelqu'un d'autre à accuser.

Les deux années suivantes, papa devint plus taciturne,
plus morose, et encore plus maigre. L'appartement de
Sunnyside Towers était gris : gris à cause de son expo-
sition nord-ouest, gris à cause du perpétuel nuage de
fumée de cigarette, gris à cause des humeurs terribles de
Freddy. Certains matins, il arrivait à peine à sortir de son
lit, sans même parler de passer une journée entière avec
nous. Parfois, il avait la gueule de bois ; parfois, c'était sa
dépression qui s'aggravait. Quand nous n'avions rien de
prévu, il inventait souvent une excuse pour nous laisser
seuls, prétendant qu'il avait du travail ou une course à
faire pour Gam.
    Un jour, il nous raconta qu'il avait trouvé un emploi :
il gérait une équipe de distribution de presse. Ayant moi-
même fait quelques tournées pour gagner de l'argent de
poche dans ma jeunesse, j'ai compris qu'il devait être
le type qui arrive avec les journaux dans le coffre de sa
voiture et qui les distribue aux petits livreurs. Il m'a dit
une fois qu'il gagnait 100 dollars par jour, une somme
qui à l'époque me semblait astronomique.
    Un soir, nous étions à l'appartement en train de dîner
avec la petite amie de papa, Johanna. Je préférais quand
elle n'était pas là ; quelque chose en elle me rebutait. Elle
ne se liait pas avec moi ni Fritz – elle n'essayait même
pas. Non seulement elle employait des expressions exas-

pérantes pour se donner un genre pseudo-britannique, mais en plus papa s'est mis à parler de la même manière.

Nous venions de terminer de dîner quand j'ai commencé à raconter ce que j'avais fait avec ma mère à la banque cet après-midi-là. Pendant qu'elle faisait la queue dans une très longue file d'attente, je m'étais occupée en remplissant des bordereaux de retrait avec toutes sortes de pseudonymes et des sommes d'argent extravagantes censées financer divers projets farfelus. Je trouvais la blague si drôle que j'avais du mal à réprimer mon fou rire. Mais alors que je parlais de mes identités secrètes, des retraits de liquide clandestins et de mes combines diaboliques pour tout dilapider, le regard de papa est devenu de plus en plus méfiant.

« M. Tosti est au courant ? » a-t-il demandé.

Si j'avais été attentive, j'aurais peut-être su m'arrêter, mais comme je croyais qu'il plaisantait lui aussi, j'ai continué mes élucubrations.

Papa était de plus en plus agité. Il s'est penché vers moi, le doigt pointé. « Qu'est-ce que tu as fait ? » Si lunatique qu'ait été mon père, je ne l'avais jamais vu aussi en colère, et presque jamais entendu élever la voix. Confuse, j'ai tenté de remonter le fil de mon histoire pour retrouver le moment où il avait commencé à croire que j'avais fait une bêtise. Mais ce moment, en réalité, n'existait pas, et mes explications n'ont fait que l'agiter encore plus. « Si M. Tosti apprend ça, ton grand-père va me faire des ennuis. »

Johanna a posé la main sur son bras, comme pour détourner son attention de moi. « Freddy. Ce n'est rien.

– Comment ça, "rien" ? C'est foutrement grave, bon Dieu ! »

Le juron m'a frappée comme une gifle.

À ce stade, Johanna et moi savions qu'il était vain de le raisonner. Il était ivre et bloqué dans de vieux schémas. J'ai essayé de le lui expliquer, de le remettre sur ses pieds, mais il était parti trop loin. Et je n'avais que huit ans.

À l'été 1975, lors d'une conférence de presse, Donald présenta les plans de son architecte pour le Grand Hyatt en donnant l'impression qu'il avait déjà remporté le contrat pour la transformation du vieil hôtel Commodore, à côté de la gare de Grand Central, dans la 42ᵉ Rue. Les médias relayèrent l'info comme un fait accompli.

Ce même été, alors que Fritz et moi devions partir en colonie, papa annonça à maman qu'il avait des nouvelles. Elle l'invita à dîner. Ce fut moi qui allai ouvrir quand il sonna. Il était habillé comme d'habitude – pantalon noir et chemise blanche –, mais ses vêtements étaient propres et nets, ses cheveux plaqués en arrière. Je ne l'avais jamais vu si beau.

Pendant que maman mélangeait la salade, papa a fait griller les steaks sur le balcon. Une fois le repas prêt, nous nous sommes assis à la petite table de la cuisine, en laissant la porte ouverte pour que la brise d'été puisse entrer. Nous buvions de l'eau et du thé glacé.

« Je déménage à West Palm Beach à la fin de l'été,

nous a-t-il dit. J'ai trouvé un appartement formidable le long de l'Intracoastal, avec un ponton derrière. » Il avait déjà choisi un bateau, et quand nous irions le voir il nous emmènerait pêcher et faire du ski nautique. En parlant, il semblait heureux et confiant... et soulagé, aussi. Nous savions tous que c'était la bonne décision ; pour la première fois depuis très longtemps, nous avions de l'espoir.

8

Vitesse de libération

Assise à la table de la salle à manger avec la chaussure devant moi, je m'efforçais de comprendre à quoi elle pouvait servir. J'avais bien regardé les boîtes qui restaient encore sous le sapin, en me disant que l'autre était peut-être dans un paquet à part, mais non, il n'y en avait qu'une : un escarpin en lamé or avec un talon de dix centimètres rempli de bonbons. Les bonbons étaient emballés individuellement dans du Cellophane, ainsi que la chaussure elle-même. D'où pouvait sortir ce machin-là ? Était-ce un lot de consolation quelconque, une bricole offerte lors d'un déjeuner mondain ?

Donald est sorti de la cuisine en traversant l'office. En passant devant moi, il m'a lancé : « C'est quoi, ça ?

— C'est ton cadeau.

— Ah bon ? » Il l'a observé une seconde. « Ivana ! a-t-il crié en direction du salon.

— Quoi donc, Donald ?

— C'est génial, ce truc ! » Il indiquait la chaussure, un

grand sourire aux lèvres. Il croyait peut-être qu'elle était en or.

Tout avait commencé en 1977 par un paquet de trois culottes, 12 dollars chez Bloomingdale's : mon premier cadeau de Noël de la part de Donald et de sa jeune épouse Ivana. Cette année-là, ils avaient offert à Fritz un agenda relié de cuir. C'était un cadeau pour adulte, mais enfin il était très joli et je m'étais même sentie légèrement lésée, jusqu'au moment où, en l'ouvrant, nous avions constaté qu'il datait de deux ans plus tôt. Les culottes, au moins, cela ne se périmait pas.

Toute mon enfance, j'ai cru que Donald s'était fait tout seul, qu'il avait construit lui-même l'affaire qui avait fait de mon patronyme une marque, et que mon grand-père, provincial et pingre, ne se souciait que d'accumuler de l'argent. Sur ces deux points, la réalité était tout autre. Dans un article du *New York Times* du 2 octobre 2018, qui décrivait les innombrables fraudes présumées et activités douteuses et illicites auxquelles s'était livrée ma famille durant plusieurs décennies, on trouvait ce paragraphe :

Fred Trump et ses sociétés commencent alors à accorder des prêts et des crédits généreux à Donald Trump. Ces largesses éclipsent ce que reçoivent les autres Trump, le flux étant par moments si constant que c'est comme si Donald Trump avait sa propre planche à billets. Prenons par exemple 1979, où il emprunte 1,5 million de dollars en janvier, 65 000 dollars en février, 122 000 dollars en mars, 150 000 dollars en avril, 192 000 dollars en mai, 226 000 dollars en juin, 2,4 millions en juillet et 40 000 dollars en août, d'après les registres de l'autorité de régulation des casinos du New Jersey.

En 1976, quand Roy Cohn suggéra à Donald et à Ivana de signer un contrat de mariage, la compensation prévue pour Ivana était calculée sur la base de la fortune de Fred, puisqu'à l'époque le père de Donald était sa seule source de revenus. J'ai appris de ma grand-mère qu'outre la prestation compensatoire et la pension alimentaire plus l'appartement, le contrat, sur l'insistance d'Ivana, comprenait un fonds « pour les mauvais jours » de 150 000 dollars. Le contrat de divorce de mes parents aussi était calculé sur la fortune de mon grand-père, mais le bonus d'Ivana équivalait à presque vingt et un ans des 600 dollars par mois que ma mère recevait à la fois comme prestation compensatoire et comme pension alimentaire.

Avant Ivana, nos fêtes de famille se ressemblaient tellement qu'elles se confondent dans mon souvenir. Le Noël de mes cinq ans est indiscernable du Noël de mes onze ans. La routine ne variait jamais. Nous entrions dans la Maison par la grande porte à treize heures tapantes, chargés de paquets. Baisers en l'air et poignées de main étaient échangés, après quoi nous nous retrouvions au salon pour un cocktail de crevettes. Comme la grande porte, ce salon ne servait que deux fois par an. Papa allait et venait, mais je n'ai aucun souvenir précis de lui dans ces occasions.

Les repas de Thanksgiving et de Noël étaient identiques, sauf lors d'un Noël où Gam eut la témérité de faire un rosbif à la place de la dinde. Le plat fut apprécié, mais Donald et Rob étaient furieux. Gam passa le repas la tête baissée, les mains sur ses genoux. Chaque fois que nous pensions que le sujet était clos, l'un d'eux revenait à la charge en disant quelque chose comme : « Bon Dieu, maman, je ne comprends pas que tu n'aies pas fait une dinde. »

Une fois entrée dans la famille, Ivana a rejoint Donald au centre du pouvoir à table, où il s'asseyait à la droite de mon grand-père, son seul égal. Les suivants dans l'ordre d'importance (Maryanne, Robert et Ivana) faisaient la claque, chargés d'une seule mission : mettre Donald en avant, suivre la direction qu'il imprimait à la conversation, et s'incliner devant lui comme si personne ne lui arrivait à la cheville. Je pense qu'au départ c'était un simple expédient – Maryanne et Robert avaient appris très tôt qu'il était inutile d'aller contre la préférence évidente de Fred. « Je ne contredis jamais mon père, disait Maryanne. Jamais. » C'était plus facile de suivre le mouvement. Les chefs de cabinet de Donald offrent un parfait exemple du même phénomène. John Kelly, au moins au début, et Mick Mulvaney, sans aucune réserve, allaient se comporter de même – jusqu'au jour où ils seraient mis dehors pour insuffisance de « loyauté ». Il en va toujours ainsi avec les flagorneurs. Ils commencent par se taire quels que soient les outrages commis ; puis ils se rendent complices par leur inaction. À la fin, ils constatent qu'ils sont facilement remplaçables le jour où Donald a besoin d'un bouc émissaire.

Avec le temps, la différence de traitement entre Donald et les autres enfants était devenue péniblement claire. Pour Rob et Maryanne, le plus simple était encore de suivre la ligne du parti dans l'espoir de ne pas subir un traitement encore pire – ce qui semble être aujourd'hui le calcul des membres républicains du Congrès. Ils savaient aussi ce qui était arrivé à mon père lorsqu'il avait déçu les attentes de Fred. Le reste d'entre nous, à l'autre bout de la table, comptions comme quantité négligeable. Nous étions là pour garnir les places les moins chères du spectacle.

Un an après la chaussure en lamé or, le panier garni que j'ai reçu de Donald et Ivana cochait de nouveau toutes les cases : c'était un cadeau visiblement recyclé, inutile, et qui confirmait le goût d'Ivana pour le Cellophane. Après l'avoir déballé, j'ai remarqué, entre la boîte de sardines gastronomiques, le paquet de crackers, le bocal d'olives au vermouth et le salami, un cercle en creux dans le papier de soie qui tapissait le fond du panier, indiquant l'emplacement d'un contenant fantôme. Mon cousin David, le voyant aussi, m'a demandé :

« C'était quoi, ça ?

— Aucune idée. Quelque chose qui va avec ça, j'imagine, ai-je dit en sortant la boîte de crackers.

— Sans doute du caviar », a-t-il conclu en riant. J'ai

haussé les épaules : je n'avais aucune idée de ce qu'était le caviar.

J'ai pris le panier par son anse pour aller l'ajouter à ma pile de cadeaux, au pied de l'escalier. En passant devant Ivana et ma grand-mère, j'ai dit : « Merci, Ivana » en le montrant avant de le poser.

« C'est à toi, ça ? »

J'ai d'abord cru qu'elle parlait du panier garni, mais elle indiquait en fait le magazine *Omni* posé sur mes cadeaux déjà ouverts. *Omni*, une revue de science et de science-fiction lancée en octobre de cette année-là, était ma nouvelle obsession. Je venais d'acheter le numéro de décembre et je l'avais apporté à la Maison dans l'espoir d'en achever la lecture entre le cocktail de crevettes et le repas.

« Ah, oui.

— Le rédacteur en chef, Bob, est un ami à moi.

— C'est vrai ? J'adore ce magazine.

— Je te le présenterai. Tu viendras à Manhattan pour faire sa connaissance. »

Ce n'était pas aussi renversant que si j'avais appris qu'on allait me présenter Isaac Asimov, mais pas loin.

« Waouh, merci ! »

J'ai rempli une assiette et je suis montée dans la chambre de mon père, où il est resté toute la journée, trop malade pour se joindre à nous. Assis sur son lit, il écoutait son petit poste radio. Je lui ai tendu l'assiette, mais il l'a posée sur la table de chevet, pas du tout intéressé. Je lui ai raconté la généreuse proposition d'Ivana.

« Attends une seconde. Elle veut te présenter à qui ? »

Je ne risquais pas d'oublier ce nom : aussitôt après avoir parlé avec Ivana, j'étais allée vérifier dans l'ours du magazine, et en effet il était là : Bob Guccione, rédacteur en chef.

« Tu vas rencontrer le type qui publie *Penthouse* ? »

Même à treize ans, je savais ce qu'était *Penthouse*. Ce n'était pas possible, nous ne pouvions pas parler de la même personne. Papa a pouffé de rire. « Je ne pense pas que ce soit une très bonne idée. » Soudain, cela ne me disait plus rien non plus.

Il était impossible, en revanche, de rire des cadeaux que recevait ma mère. Pourquoi elle était encore invitée à nos fêtes de famille des années après avoir divorcé de mon père, c'était déjà un mystère ; pourquoi elle s'y rendait en était un plus insondable encore. Il était évident que les Trump n'avaient aucune envie de la voir, et vice versa. Certains des cadeaux qu'ils lui offraient n'étaient pas trop mal, mais ils venaient toujours de boutiques moins chics que ceux destinés à Ivana et à Blaine, la femme de Robert. Pire, beaucoup étaient visiblement recyclés. Une année, Ivana lui a offert un sac à main de grande marque, mais qui contenait un Kleenex usagé.

Après le déjeuner et l'ouverture des cadeaux, nous nous sommes dispersés : certains sont allés dans la cuisine, quelques-uns sont sortis dans le jardin, et j'ai suivi les autres dans la bibliothèque, où je me suis assise en tailleur par terre à côté de la porte pour suivre de loin le film de Godzilla ou le match de foot que Donald et Rob regardaient à la télé. Au bout d'un moment, j'ai remarqué l'absence de ma mère. Je ne me suis pas tout de suite inquiétée, mais, voyant qu'elle ne revenait pas, je suis partie à sa recherche. J'ai passé la tête dans la cuisine, mais je n'y ai trouvé que ma grand-mère et mes tantes. J'ai regardé dans le jardin, où mon frère tapait dans un ballon avec David. Quand j'ai demandé à Fritz s'il savait où elle était, il m'a répondu : « Aucune idée. » Avec le temps, j'apprendrais où la trouver sans avoir besoin de poser de questions, mais les premières fois j'ai ressenti une certaine panique.

Maman était dans la salle à manger, assise toute seule à table. La desserte avait été débarrassée, et on ne voyait comme traces du repas que quelques serviettes tombées par terre. Je me suis arrêtée à la porte, espérant qu'elle me remarque et que ma présence la remette en mouvement. J'avais peur de dire un mot, de la déranger. Alors que des bruits de vaisselle et des bribes de conversation sur l'art d'accommoder les restes et sur la glace en dessert me parvenaient de la cuisine, je me suis approchée de la table en acajou dans la lumière faiblissante de l'après-midi. Le lustre avait été éteint, mais j'aurais voulu qu'il fasse encore plus sombre pour ne pas voir l'expression de ma mère, ses traits dévastés.

En prenant soin de ne pas la toucher, je me suis assise à côté d'elle. Je ne pouvais lui donner ni lui demander aucun réconfort, seulement lui témoigner ma solidarité.

179

Huit mois avant le cadeau des culottes, Donald et Ivana s'étaient mariés à la collégiale Marble. La réception s'était tenue au 21 Club. Maman, Fritz et moi étions relégués à la table des cousins, et papa n'était pas là. La famille expliquait son absence par ce mensonge : Donald lui avait demandé d'être garçon d'honneur et maître de cérémonie (un rôle que remplissait en fait Joey Bishop), mais la famille avait décidé qu'il valait mieux qu'il reste en Floride pour s'occuper de l'oncle Vic, le beau-frère de Gam. La vérité était que mon grand-père ne voulait simplement pas de lui au mariage et qu'on lui avait dit de ne pas venir.

Alors que Donald écumait Manhattan à la recherche de saisies immobilières à exploiter, de mon côté je perdais des dizaines de milliers de dollars presque toutes les semaines. Le vendredi après l'école, en effet, je me rendais chez une amie pour jouer à notre version personnelle du Monopoly : le double de maisons et d'hôtels, le double d'argent. Nos séances étaient des marathons qui occupaient le week-end entier. Une partie pouvait être expédiée en trente minutes ou s'éterniser pendant des heures. La seule constante était ma prestation : je perdais systématiquement.

Pour me laisser au moins une chance (et augmenter le défi pour mon amie), j'étais autorisée à emprunter des sommes de plus en plus astronomiques à la banque puis, finalement, à mon adversaire. Nous tenions les comptes de ma dette abyssale en notant les sommes sous forme de longues colonnes de chiffres à l'intérieur du couvercle.

En dépit de mes résultats catastrophiques, pas une fois je n'ai modifié ma stratégie. J'achetais toutes les propriétés d'Atlantic City sur lesquelles je tombais et j'y mettais des maisons et des hôtels même quand je n'avais aucun espoir de rentrer dans mes investissements. Je doublais et triplais la mise quelles que soient mes pertes. Cela nous faisait beaucoup rire, avec mes amis, que moi, la petite-fille et nièce de magnats de l'immobilier, je sois aussi nulle dans ce domaine. Il faut croire que Donald et moi avions un point commun, tout compte fait.

Depuis la mort de mon père, j'ai entendu Donald laisser entendre qu'« ils » (c'est-à-dire mon grand-père et lui) auraient dû « laisser » Freddy faire ce qu'il aimait et à quoi il excellait (le pilotage) plutôt que le forcer à faire une chose qu'il détestait et faisait mal (l'immobilier). Mais rien n'indique que mon père n'avait pas les compétences pour diriger Trump Management, tout comme rien n'indique que Donald les avait.

Une nuit de 1978, papa se réveilla dans son appartement de West Palm Beach avec d'épouvantables maux de ventre. Il parvint à se traîner jusqu'à sa voiture et à se rendre aux urgences. Il a raconté plus tard à maman qu'une fois arrivé, il n'était pas entré tout de suite dans l'hôpital. Il était resté dans sa voiture à se demander si cela en valait la peine. Ce serait peut-être plus simple d'en finir, avait-il songé. La seule chose qui l'avait poussé à se faire soigner était l'idée de Fritz et moi.

Papa était très malade. Il fut transféré dans un hôpital de Miami, où on lui diagnostiqua une grave cardiopathie. Fred intima à Maryanne de sauter dans un avion pour la Floride, de le sortir de l'hôpital et de le ramener à New York. Ce devait être le dernier voyage de mon père vers le nord. Après trois ans en Floride, il rentrait à la maison.

À New York, les médecins découvrirent que papa avait une valve mitrale défectueuse, ce qui avait fait dangereusement grossir son cœur. Il devait subir une opération expérimentale pour la remplacer par une valve saine prélevée sur un cœur de cochon.

Quand je suis allée le voir à la Maison avec maman la veille de l'opération, Elizabeth était déjà sur place, assise auprès de lui dans sa minuscule chambre d'enfant, qu'il surnommait « la Cellule ». Je l'ai embrassé sur la joue mais je ne me suis pas assise sur son lit, de peur de lui faire mal. J'avais déjà vu papa malade – d'une pneumonie, de la jaunisse, de trop d'alcool, de désespoir – mais là, son état était choquant. Il n'avait pas quarante ans, et il ressemblait déjà à un octogénaire fatigué et usé. Alors qu'il nous parlait de l'opération et de la valve de porc, maman a dit : « Freddy, c'est une bonne chose que tu ne sois pas casher. » Cela nous a tous fait rire.

La convalescence était longue, et papa resta à la Maison pour se rétablir. Un an après l'opération, il allait mieux, mais il ne serait plus jamais assez solide pour vivre seul. L'un des obstacles à cela était peut-être financier. Il recommença à travailler pour mon grand-père, mais cette fois dans une équipe d'entretien. Exception faite de quelques séjours en centre de désintoxication, il ne cessa jamais de boire. Il m'a dit un jour qu'un médecin l'avait mis en garde : « Si vous buvez encore un verre, cela vous tuera. » Même une opération à cœur ouvert n'avait pas suffi à le faire arrêter.

À Thanksgiving cette année-là, papa s'est joint à nous pour la première fois depuis son retour à New York. Il s'est assis près de moi au même bout de la table que Gam, pâle et mince comme un spectre.

À la moitié du repas, Gam a commencé à suffoquer. « Ça va, maman ? » lui a demandé papa. Personne d'autre ne semblait avoir remarqué. Comme elle continuait de chercher de l'air, deux ou trois convives à l'autre bout de la table ont levé la tête pour voir ce qui se passait, mais ont aussitôt remis le nez dans leur assiette et continué de manger.

« Viens avec moi », a dit papa en la prenant par le coude pour l'aider doucement à se lever. Il l'a emmenée dans la cuisine où nous avons entendu des bruits de pas et les éructations perturbantes de ma grand-mère, à qui papa administrait la manœuvre de Heimlich ; il l'avait apprise lorsqu'il était chauffeur d'ambulance bénévole, à la fin des années 1960 et au début des années 1970.

Leur retour dans la pièce a été accueilli par quelques applaudissements. « Bien joué, Freddy », a lancé Rob, comme si mon père avait écrasé un moustique.

Donald devenait une présence constante même quand il n'était pas à la Maison. Chaque fois que mon père voulait aller à la cuisine ou retourner dans sa chambre, il lui fallait subir l'épreuve des couvertures de magazines et des coupures de presse qui recouvraient la grande table. Depuis le procès de 1973, Donald était un habitué des tabloïds new-yorkais, et mon grand-père recueillait religieusement tous les articles qui mentionnaient son nom.

L'affaire du Grand Hyatt sur laquelle Donald travaillait au moment où Freddy est rentré à la Maison n'était guère qu'une version plus complexe du partenariat que Fred avait formé avec lui en 1972 dans le New Jersey. Le projet vit le jour grâce à l'association entre mon grand-père et le maire de New York, Abe Beame. Fred contribuait généreusement aux campagnes du maire, ainsi que du gouverneur Hugh Carey. Louise Sunshine, la responsable des levées de fonds pour Carey, facilita les négociations. Pour conclure le marché, Beame offrit à Fred un abattement fiscal de 10 millions de dollars par an, qui allait rester en place pendant quarante ans. Quand la démolition de l'ancien hôtel Commodore commença, la presse new-yorkaise, croyant Donald sur parole, présenta systématiquement l'affaire comme son œuvre exclusive.

Peut-être pour combler le fossé qui s'était élargi entre nous depuis son retour à New York, papa me dit qu'il voulait m'organiser une fête d'anniversaire pour mes seize ans, en mai 1981. Le Grand Hyatt ayant été inauguré en grande pompe quelques mois auparavant, il comptait demander à Donald si nous pourrions utiliser une des petites salles de réception. Donald, apparemment ravi de cette occasion d'en mettre plein la vue à la famille, accepta aussitôt, en lui proposant même un rabais.

Papa informa mon grand-père du projet de fête quelques jours plus tard, alors que nous étions tous les trois devant la table couverte de coupures de presse. « Fred, lui répondit hargneusement mon grand-père, Donald est très pris, il n'a pas besoin de ces âneries. » Le sous-entendu était clair : Donald est important et il fait des choses importantes. Toi, non.

J'ignore comment le problème a été résolu, mais papa a finalement obtenu gain de cause. J'allais l'avoir, ma fête d'anniversaire.

La plupart des invités étaient arrivés et je discutais avec un petit groupe de camarades quand Donald a fait son entrée. Il s'est approché de nous, et, sans même nous saluer, a largement écarté les bras en disant : « C'est magnifique, non ? »

Nous avons convenu que oui, en effet, c'était magnifique. Je l'ai une fois de plus remercié de nous accueillir dans l'hôtel, puis je l'ai présenté à la ronde.

« Qu'est-ce que tu dis de ce lobby ? Fantastique, hein ?
– Fantastique. »

Mes amis ont acquiescé.

« Personne d'autre n'aurait pu réussir un truc pareil. Non mais regarde-moi ces fenêtres ! »

Je commençais à craindre qu'il se mette à nous vanter

les carrelages des toilettes, mais il a aperçu mes grands-parents, m'a serré la main, m'a fait une bise, « Amuse-toi bien, choupette », avant de partir les retrouver. Mon père était assis à quelques tables d'eux, tout seul.

Quand je me suis retournée vers mes amis, ils me regardaient avec des yeux ronds.

« C'était quoi, ça ? » m'a demandé l'un d'eux.

Pendant l'été 1981, Maryanne conduisit mon père à la clinique Carrier de Belle Mead, dans le New Jersey, à environ une demi-heure de la propriété de Bedminster dont Donald ferait plus tard un terrain de golf. Papa suivit le programme de trente jours, mais à contrecœur. À la fin de son séjour, Maryanne et son deuxième mari, John Barry, allèrent le chercher et le ramenèrent à la Maison, sans doute le pire endroit pour lui. Quand elle passa prendre de ses nouvelles le lendemain, il s'était déjà remis à boire.

Freddy avait perdu sa maison et sa famille, son métier, pratiquement toute sa volonté et la plupart de ses amis. Il ne restait que ses parents pour s'occuper de lui. Et ils lui en voulaient. Sur la fin, son existence même mettait son père en rage.

La manière dont Fred traitait mon père avait toujours servi de leçon à ses autres enfants – une mise en garde. Pourtant, à la fin, cette emprise devint tout autre chose. Fred maniait le pouvoir absolu du tortionnaire, mais au fond il était aussi piégé par la dépendance croissante de Freddy que Freddy l'était par sa domination. Fred n'avait

186

aucune imagination ni aucune capacité à voir au-delà des circonstances qu'il avait créées lui-même. La situation était la preuve même des limites de son pouvoir.

Après mon retour de colonie de vacances, au mois d'août de cette année-là, j'ai annoncé que je voulais poursuivre ma scolarité en internat. J'ai expliqué à papa qu'après dix ans à Kew-Forest, la toute petite école qu'avaient aussi fréquentée mes oncles et tantes, je me sentais limitée et je m'ennuyais. Je voulais plus de défis à relever, un lieu avec un campus, de meilleurs équipements sportifs, davantage d'opportunités. Papa m'a mise en garde contre le danger de se retrouver petit poisson anonyme dans un vaste étang, mais je crois qu'il comprenait que, si les raisons que j'avais données étaient toutes vraies, j'avais aussi besoin de m'échapper.

Seul problème, il ne me restait que trois semaines pour trouver où je voulais aller, remplir les dossiers de candidature et être admise. Ma mère et moi avons passé les deux dernières semaines du mois d'août 1981 à visiter tous les internats du Connecticut et du Massachusetts.

En attendant les réponses, il nous fallait encore obtenir la permission de mon grand-père, ou du moins, c'était ce que papa avait dit.

Nous étions debout tous les deux devant le patriarche assis à sa place habituelle sur la causeuse, et papa lui expliquait mon projet.

« Pourquoi est-ce qu'elle veut faire ça ? a demandé mon grand-père comme si je n'étais pas là. Kew-Forest, c'est très bien. » Il était au conseil d'administration de l'école depuis presque trente ans.

« Il est temps qu'elle change de décor. Allez, p'pa. Ça lui fera du bien. »

Mon grand-père a râlé à cause de la dépense, qui serait pourtant payée par le trust de mon père sans l'affecter, lui, et a répété qu'à son avis Kew-Forest valait mieux. Mais papa n'a pas reculé.

Je pense qu'au fond mon grand-père se fichait complètement de ma scolarité, mais j'étais contente que mon père m'ait soutenue, une fois de plus.

La veille de mon départ pour l'internat, j'ai pris mon vélo pour me rendre chez mes grands-parents depuis l'immeuble Highlander. J'ai déboulé dans l'allée, appuyé mon vélo contre le haut mur de brique qui jouxtait le garage, et fait le tour pour gagner la porte de derrière.

Le jardin était silencieux en cet après-midi de début septembre. J'ai sauté les deux marches de la terrasse en ciment et sonné. Il n'y avait pas de mobilier de jardin, juste une dalle vide. La seule personne qui ait jamais utilisé cette terrasse quand nous étions petits était mon oncle Rob. À une époque, il y avait eu deux chaises en fer forgé. Quand il rentrait le week-end, il les disposait face à face et, en utilisant une comme repose-pieds, se tartinait d'huile et se calait un réflecteur en aluminium sous le menton pour mieux bronzer.

Plusieurs minutes ont passé. J'allais rappuyer sur la sonnette quand ma grand-mère a ouvert. Elle a paru étonnée de me voir. J'ai tiré la porte-moustiquaire pour entrer, mais elle n'a pas bougé.

« Bonjour, Gam, je viens voir papa. »

Elle restait plantée là, à s'essuyer les mains sur son tablier, tendue, comme si je venais de la surprendre en fâcheuse posture. Je lui ai rappelé que je partais le lendemain. Elle était assez grande et, avec ses cheveux blonds remontés en chignon serré, elle avait l'air plus sévère que d'habitude. Elle ne s'est pas écartée pour me laisser entrer.

« Ton père n'est pas là. Je ne sais pas quand il rentrera. »

C'était à n'y rien comprendre. Je savais que mon père voulait me dire au revoir : nous en avions parlé à peine quelques jours plus tôt. J'ai supposé qu'il avait oublié que je devais passer. Au cours de l'année, il avait souvent oublié nos rendez-vous. Je n'étais pas surprise, pas tout à fait, mais il y avait quand même quelque chose qui clochait. Juste au-dessus de nos têtes, on entendait le bruit d'une radio par la fenêtre ouverte de sa chambre.

J'ai haussé les épaules en cachant ma contrariété. « Bon, d'accord, dis-lui de m'appeler plus tard, alors. » Je me suis approchée de ma grand-mère pour l'embrasser, et elle m'a serrée contre elle avec raideur. En me retournant pour partir, j'ai entendu la porte se refermer. J'ai refait le tour, repris mon vélo, et je suis rentrée chez moi. Je suis partie pour l'internat le lendemain. Papa ne m'a jamais rappelée.

J'étais en train de regarder un film dans l'auditorium flambant neuf de l'internat Ethel Walker lorsque le projecteur s'est éteint et que les lampes se sont rallumées. Les élèves étaient là pour voir *The Other Side of the Mountain*, l'histoire édifiante d'un skieur olympique qui reste paralysé à la suite d'un accident de ski. Au lieu de cela, l'école avait commandé par erreur *The Other Side of Midnight*, un film d'un tout autre genre qui commençait par une scène de viol. Les enseignants, légèrement paniqués, tâchaient de se mettre d'accord sur la marche à suivre, tandis que nous, les élèves, trouvions le quiproquo hilarant.

Alors que je bavardais et riais avec des camarades de dortoir, j'ai vu Diane Dunn, une prof de sport, fendre la foule. Dunn était également monitrice à la colo de voile où j'allais tous les étés, ce qui fait que je la connaissais depuis toute petite. Tout le monde à l'internat l'appelait Miss Dunn, et je n'arrivais pas à m'y faire. Au club de voile, elle était Dunn et j'étais Trump, et nous avions continué à nous appeler ainsi l'une l'autre. C'est en partie grâce à elle que j'avais décidé d'entrer dans cette école, et au bout de deux semaines elle était toujours la seule personne que je connaissais vraiment.

Quand elle m'a fait signe, j'ai souri et lancé : « Hey, Dunn !

– Trump, il faut que tu appelles chez toi. » Elle tenait un papier à la main mais ne me l'a pas donné. Elle semblait fébrile.

« Qu'est-ce qui se passe ?

– Il faut que tu appelles ta mère.

– Tout de suite ?

– Oui. Si elle n'est pas là, appelle tes grands-parents. »

Elle me parlait comme si elle avait appris le message par cœur.

Il était presque dix heures du soir, et je n'avais jamais appelé mes parents si tard, mais mon père et ma grand-mère étaient tous les deux souvent à l'hôpital – papa à cause de la boisson et du tabac, Gam à cause des nombreuses fractures dues à son ostéoporose. Je n'étais donc pas vraiment inquiète – ou plutôt, je ne pensais pas que ce soit plus grave que d'habitude.

Je suis sortie, j'ai traversé la pelouse ovale qui séparait l'auditorium de mon bâtiment et j'ai grimpé les deux étages. Le téléphone à pièces était fixé au mur du palier, juste à côté de la porte.

J'ai appelé ma mère en PCV, mais comme personne ne répondait j'ai composé le numéro de la Maison. C'est Gam qui a accepté l'appel – l'urgence ne la concernait donc pas. Après un rapide « allô » étouffé, elle m'a immédiatement passé mon grand-père.

« Oui », a-t-il dit, sec et impersonnel comme toujours. L'espace d'un instant, j'aurais pu croire qu'il y avait erreur, qu'il n'était rien arrivé de grave. D'un autre côté, il se passait quelque chose d'assez urgent pour qu'on vienne me prévenir en pleine séance de cinéma. J'avais aussi vu les yeux de Dunn, agrandis par la panique, quand elle m'avait cherchée dans l'auditorium. Je n'ai compris que bien plus tard qu'elle savait déjà.

« Qu'est-ce qui se passe ? ai-je demandé.

– Ta mère vient de partir. Elle devrait être chez vous d'ici quelques minutes. » J'imaginais mon grand-père dans la bibliothèque mal éclairée, debout à côté de la table du téléphone, avec sa chemise blanche amidonnée, sa cravate rouge et son costume trois-pièces bleu marine, impatient d'en finir.

« Mais qu'est-ce qu'il y a ?

– Ton père a été emmené à l'hôpital, mais ne t'inquiète pas », m'a-t-il répondu comme s'il me lisait le bulletin météo.

J'aurais pu raccrocher à ce moment-là. J'aurais pu retourner voir les autres et essayer de m'intégrer avec mes nouvelles camarades.

« C'est son cœur ? » C'était inédit de ma part – personne ne le faisait, à part Donald – de répondre à mon grand-père de quelque manière que ce soit, mais il y avait forcément une raison pour qu'on m'ait dit d'appeler.

« Oui.

– Alors c'est grave.

– Oui, je dirais que c'est grave. » Il y a eu un silence : peut-être était-il en train de décider s'il allait me dire ou non la vérité. « Va te coucher, a-t-il finalement lâché. Appelle ta mère demain matin. » Il a raccroché.

Je suis restée sur ce palier, le combiné à la main, sans savoir quoi faire. Une porte a claqué à l'étage du dessus. Des bruits de pas ont suivi, de plus en plus sonores. Deux élèves sont passées à côté de moi pour descendre au premier. J'ai posé le combiné sur son support, puis je l'ai repris et j'ai réessayé de joindre ma mère.

Cette fois, elle a décroché.

« Maman, je viens d'avoir papi. Il m'a prévenue que papa était à l'hôpital, mais il n'a pas voulu me dire ce qu'il avait. Ça va ?

— Il a fait une crise cardiaque », a dit ma mère.

Du moment où elle a parlé, le temps n'a plus été le même. Ou peut-être est-ce arrivé l'instant d'après, dont je ne me souviens pas, et l'effet du choc est-il rétroactif. Quoi qu'il en soit, ma mère a continué de parler mais je n'ai pas entendu un mot de ce qu'elle disait. Pour moi, il n'y avait pas eu de trou dans la conversation, simplement une partie n'avait jamais existé pour moi.

« Il a fait une crise cardiaque ? ai-je dit, répétant les derniers mots que j'avais entendus, comme si je n'avais pas raté une information cruciale.

— Oh, Mary, il est mort. » Elle s'est mise à pleurer. « Je l'ai vraiment aimé, il fut un temps. »

Alors qu'elle continuait de parler, je me suis laissée glisser le long du mur jusqu'à me retrouver assise par terre sur le palier. J'ai lâché le combiné, le laissant pendre au bout de son cordon, et j'ai attendu.

À un moment, dans l'après-midi du samedi 26 septembre 1981, un de mes grands-parents avait appelé une ambulance. Je l'ignorais, mais mon père était gravement malade depuis trois semaines. Personne jusque-là n'avait cherché à le faire soigner.

Ma grand-mère était une habituée des hôpitaux Jamaica et Booth Memorial. Mon père aussi avait déjà fait quelques séjours à Jamaica. Tous les enfants de mes grands-parents y étaient nés, si bien que la famille avait des liens de longue date avec le personnel médical comme avec la direction. Mes grands-parents avaient fait don de millions de dollars à Jamaica en particulier, et en 1975 le pavillon de soins infirmiers et de rééducation avait été baptisé Trump en l'honneur de ma grand-mère. Quant à Booth Memorial, elle était très engagée auprès de ses bénévoles de l'Armée du salut – et j'y avais aussi passé beaucoup de temps pendant mon enfance à cause de mon asthme sévère. Un simple coup de fil à l'un ou l'autre de ces établissements aurait garanti à leur fils les meilleurs soins possibles. Ce coup de fil ne fut jamais passé. L'ambulance emmena mon père au centre hospitalier du Queens. Personne ne prit la peine de l'accompagner.

Une fois l'ambulance partie, mes grands-parents appelèrent leurs quatre autres enfants, mais seuls Donald et Elizabeth purent être joints. Le temps qu'ils arrivent en fin d'après-midi, les informations en provenance de l'hôpital étaient sans appel : mon père était dans un état grave. Personne ne se déplaça.

Donald téléphona à ma mère pour essayer de la prévenir, mais cela sonnait toujours occupé. Il joignit le gardien de l'immeuble et lui demanda de l'appeler à l'interphone.

Maman rappela immédiatement la Maison.

« Les médecins pensent que Freddy ne va pas tenir le

coup, Linda », lui dit Donald. Elle ne savait même pas qu'il était malade.

« Cela ne vous dérange pas que je vienne à la Maison pour être là s'il y a du nouveau ? » Elle ne voulait pas rester seule.

À son arrivée, mes grands-parents attendaient à côté du téléphone dans la bibliothèque ; Donald et Elizabeth étaient au cinéma. Elle s'assit avec eux. Personne ne disait grand-chose. Deux heures plus tard, Donald et Elizabeth rentrèrent. Apprenant qu'il n'y avait pas de nouvelles, Donald repartit, et Elizabeth se prépara un thé avant de monter dans sa chambre. Ma mère s'apprêtait à rentrer chez elle, lorsque le téléphone sonna. C'était l'hôpital. Le décès de papa avait été prononcé à vingt et une heures vingt. Il avait quarante-deux ans.

Personne ne songea à venir me chercher à l'internat, mais l'administration s'arrangea pour que je prenne un bus le lendemain matin. Dunn me conduisit à la gare routière de Hartford, où je montai dans un bus pour Manhattan. Ma mère vint me chercher avec mon frère et nous emmena directement à la Maison, où la famille était déjà réunie pour discuter des obsèques. Maryanne et son fils David étaient là ; mon oncle Robert et sa femme Blaine ; ainsi que Donald, Ivana – enceinte de presque huit mois, elle attendait Ivanka – et leur fils de trois ans, Donny. Personne ne nous dit grand-chose. Il y eut quelques tentatives de cordialité forcée, principalement de la part de Rob, mais comme elles tombaient à côté de la plaque elles cessèrent vite. Mon grand-père et Maryanne discutaient à voix basse. Ma grand-mère s'inquiétait de ce qu'elle porterait à la veillée ; Fred avait choisi pour elle un tailleur-pantalon noir qui ne lui plaisait pas.

L'après-midi, nous nous sommes rendus au funérarium R. Stutzmann & Son, un petit établissement de Queens Village à environ dix minutes de la Maison, pour un moment de recueillement en privé. Avant d'entrer dans la pièce principale, où le cercueil était déjà posé sur son support, j'ai demandé à mon oncle Robert si je pouvais lui parler de quelque chose. Je l'ai attiré dans une petite alcôve au bout du couloir. « Je voudrais voir le corps de papa. » Je ne voyais aucune raison de ne pas être directe. Le temps m'était compté.

« Tu ne peux pas, Mary. C'est impossible.

— Rob, c'est important. » Ce n'était pas pour des raisons religieuses ni par convention ; je n'avais jamais assisté à un enterrement et je ne connaissais rien au protocole. Je savais que je voulais voir mon père, sans pouvoir expliquer pourquoi. Comment aurais-je pu dire : « Je ne crois pas à sa mort, je n'ai aucune raison d'y croire, je ne savais même pas qu'il était malade » ? Tout ce que je pouvais dire, c'était : « J'ai besoin de le voir. »

Rob a réfléchi un instant.

« Non, choupette. Ton père va être incinéré, ce qui fait que son corps n'a pas été préparé. Ce serait terrible que ce soit le dernier souvenir que tu gardes de lui.

— Ça ne fait rien. » J'étais déterminée, à un point que je ne comprenais pas moi-même. Rob m'a regardée de haut et a tourné les talons. Je me suis interposée devant lui. « S'il te plaît, Rob. »

Il a encore réfléchi, puis est reparti dans le couloir. « Allez, viens, m'a-t-il dit. Il est temps de rejoindre les autres. »

Le lundi, entre les deux parties de la veillée, la famille est retournée déjeuner à la Maison. Donald et Ivana étaient passés au supermarché en chemin et avaient pris de grosses quantités de charcuterie et de viande froide sous plastique, que Maryanne et Elizabeth ont disposées sur la table et qui ont été mangées ou ignorées dans un silence presque complet.

Étant donné que je n'avais aucun appétit et que je ne participais pas à la conversation, je suis partie déambuler dans la maison comme je le faisais petite. J'ai rejoint l'escalier du fond, en face de la porte de la bibliothèque, et aperçu Donald, le téléphone à la main. Venait-il de terminer un appel ou s'apprêtait-il à en passer un ? En tout cas, en me voyant dans le couloir, il a reposé le combiné. Nous sommes d'abord restés muets. Je ne l'avais pas vu depuis la fête des Mères, que nous avions célébrée à North Hills, le country club de mes grands-parents à Long Island. Je ne m'attendais pas à voir quiconque pleurer à part ma grand-mère, mais Donald et surtout mon grand-père semblaient particulièrement bien vivre la mort de mon père.

« Coucou, Donald.

– Quoi de neuf, choupette ? » Il m'arrivait de me demander si mes oncles connaissaient mon prénom.

« Papa va être incinéré, c'est bien ça ? » Je savais depuis

des années que c'était son désir. Il tenait si fort à ne pas être enterré que c'était une des premières choses qu'il avait dites à ma mère après leur mariage. Son insistance sur ce point frisait l'obsession, c'est pourquoi je le savais déjà avant mes dix ans.

« C'est ça.

— Et ensuite ? Il ne va pas être enterré, hein ? »

Une ombre d'impatience est passée sur ses traits. Il était clair que Donald n'avait pas envie de s'étendre sur le sujet.

« Je crois que si.

— Tu sais que ça n'a aucun sens, pas vrai ?

— C'est ce que veut papa. » Il a repris le téléphone. Voyant que je ne bougeais pas, il a haussé les épaules et commencé à composer un numéro.

J'ai grimpé l'escalier du fond. À un bout du long couloir de l'étage se trouvait la chambre d'angle d'Elizabeth. Celle de Maryanne était de l'autre côté de leur salle de bains commune. À l'autre extrémité du couloir, la chambre que partageaient Donald et Robert était garnie de couvre-lits bleu et or avec des draperies assorties aux fenêtres. La chambre de mes grands-parents, bien plus vaste, était juste à côté de la leur, et comprenait un dressing séparé pour Gam avec des miroirs en pied. « La Cellule » se trouvait au milieu du couloir. Le petit lit de papa était défait, le mince matelas exposé. Son petit poste radio était encore sur la table de chevet. La porte du placard était entrouverte, et j'ai vu deux chemises blanches suspendues de travers à des cintres en fil de fer. Même par une belle journée ensoleillée comme celle-là, l'unique fenêtre laissait passer peu de lumière, et la pénombre rendait la pièce austère. J'ai songé à y entrer, mais il n'y avait rien pour moi à l'intérieur. Je suis redescendue.

La veillée tombait le premier soir de Roch Hachana, mais de nombreux camarades de la fraternité étudiante de papa étaient venus malgré tout. Son ami Stu, qui avait souvent assisté aux dîners et aux galas de charité de l'hôpital de Jamaica avec sa femme Judy, connaissait sans doute ma famille mieux que tous les copains de papa en dehors de Billy Drake. Stu, voyant mon grand-père debout seul au fond de la pièce, alla le saluer. Les deux hommes échangèrent une poignée de main et, après avoir présenté ses condoléances, Stu dit : « On dirait bien que l'immobilier ne marche pas fort en ce moment. J'espère que ça va pour Donald. Je le vois beaucoup dans la presse, et j'ai l'impression qu'il doit un bon paquet aux banques. »

Fred entoura de son bras l'ami de son fils défunt et répondit avec un sourire : « Stuart, ne t'en fais pas pour Donald. Ça ira très bien pour lui. » Donald n'était pas là.

Mon frère a prononcé la seule oraison funèbre (ou du moins la seule dont je me souvienne), griffonnée sur une feuille de papier, probablement dans l'avion en provenance d'Orlando, où il était en deuxième année au Rollins College. Il a évoqué les bons moments qu'il avait passés avec papa, dont la plupart dataient d'un temps que je ne pouvais pas me rappeler parce que j'étais trop petite, mais il a refusé d'esquiver la réalité fondamentale de la vie de mon père. À un moment, il a qualifié papa de mouton noir de la famille, ce qui a provoqué des réactions audibles dans l'assistance. Cela m'a donné un frisson de reconnaissance et un sentiment de justice rendue – enfin, enfin. Mon frère, qui avait toujours été bien meilleur que moi pour négocier les rapports avec cette famille, avait osé dire la vérité. J'admirais son honnêteté, tout en étant jalouse qu'il ait tellement plus de bons souvenirs de mon père que moi.

La veillée touchait à sa fin et je regardais les gens commencer à se mettre en rang, défiler devant le cercueil, s'arrêter un instant les yeux fermés, les mains jointes – certains s'asseyant sur un siège bas avec un coussin qui semblait avoir été placé là exprès – puis s'éloigner.

Son tour venu, ma tante Elizabeth a été prise de sanglots incontrôlables. Au milieu de tout ce stoïcisme, cet étalage d'émotion détonnait, et les gens l'observaient avec un affolement muet. Mais personne ne s'est approché d'elle. Elle a posé les deux mains sur le cercueil et s'est laissée tomber à genoux. Son corps était si violemment secoué qu'elle a perdu l'équilibre et basculé sur le flanc. Je l'ai regardée tomber. Elle est restée là comme si elle ne savait plus où elle était ni ce qu'elle faisait, et a continué de pleurer. Donald et Robert ont fini par s'avancer depuis le fond de la pièce, où ils discutaient avec mon grand-père, qui n'a pas bougé. Mes oncles ont soulevé Elizabeth. Elle a clopiné entre eux pendant qu'ils la faisaient sortir.

J'ai fini par m'approcher du cercueil, avec hésitation. Il me paraissait petit, au point que j'ai pensé qu'il devait y avoir une erreur. Ce n'était pas possible que mon père, avec son mètre quatre-vingt-cinq, puisse tenir là-dedans. Je suis restée debout, dédaignant le prie-Dieu. J'ai incliné la tête, concentrée à fond sur les ornements de cuivre. Rien ne m'est venu.

« Salut, p'pa », ai-je finalement soufflé tout bas. Je me creusais les méninges pour trouver quelque chose à ajouter, jusqu'au moment où il m'est apparu que j'étais peut-être au mauvais bout du cercueil, que cette conversation que j'essayais d'avoir avec mon père était peut-être dirigée vers ses pieds. Mortifiée, j'ai reculé et je suis allée retrouver mes amis.

Il n'y a pas eu de cérémonie à l'église. Le cercueil a été transféré au crématorium, et nous nous sommes réunis quelques instants dans la chapelle à côté – bizarrement lumineuse et inondée de soleil – où un officiant sans dénomination spécifique a fait la démonstration à la fois de sa méconnaissance totale de mon père et du fait que personne dans la famille n'avait pris la peine de le renseigner sur l'homme qu'il s'apprêtait à confier aux flammes.

Une fois les obsèques terminées, la famille comptait se rendre au cimetière All Faiths de Middle Village, où se trouvait le caveau de famille ; les parents de mon grand-père, Friedrich et Elizabeth Trump, en étaient à l'époque les seuls occupants. J'ai appris plus tard que, pendant les deux jours précédents, ma mère et mon frère avaient séparément imploré différents membres de la famille pour qu'ils permettent que les cendres de mon père soient dispersées au-dessus des eaux de l'Atlantique.

Avant de sortir de la chapelle, j'ai pris mon grand-père à part pour une ultime tentative.

« Papi. On ne peut pas enterrer les cendres de papa.

– Ce n'est pas à toi d'en décider. »

Il a commencé à s'éloigner, mais je l'ai rattrapé par la manche, sachant que c'était ma dernière chance. « N'était-ce pas à lui d'en décider ? Il voulait être incinéré parce qu'il ne supportait pas l'idée de finir sous terre. S'il te plaît, laisse-nous emporter ses cendres à Montauk. »

En le disant, j'ai compris que je commettais une grave erreur. Mon grand-père aussi. Il associait Montauk aux lubies farfelues de mon père comme le bateau et la pêche, ces activités qui le détournaient des choses sérieuses, c'est-à-dire l'immobilier.

« Montauk, a-t-il répété, presque en souriant. Certainement pas. File dans la voiture. »

Le soleil faisait briller le marbre et le granit aux alentours pendant que notre grand-père, plissant ses yeux bleus sous ses énormes sourcils dans la lumière éblouissante, expliquait que la pierre tombale, qui portait déjà les noms de sa mère et de son père, allait être temporairement retirée pour que celui de mon père et ses dates soient ajoutés. Tout en parlant, il écartait largement les mains en se balançant sur la pointe des pieds, presque enjoué, tel un marchand de bagnoles d'occasion qui sait qu'il a affaire à un plouc.

Mon grand-père se pliait au minimum légal, puis faisait ce qu'il voulait. Une fois mon père incinéré, ils ont déposé ses cendres dans une boîte en métal et les ont enterrées.

Le certificat de décès de papa, daté du 29 septembre 1981, déclare qu'il est mort de causes naturelles. Je ne sais pas comment c'est possible à quarante-deux ans. Il n'y avait pas de testament. S'il avait quelque chose à nous laisser – des livres, des photos, ses vieux 78 tours, ses médailles du ROTC et de la National Guard –, je n'en ai rien su. Mon frère a eu sa Timex. Moi, rien.

Plus je grandissais, plus la Maison me semblait froide. Lors du premier Thanksgiving après la mort de papa, elle m'a paru encore plus glaciale.

Après le repas, Rob est venu mettre la main sur mon épaule. Il a montré du doigt ma nouvelle cousine, Ivanka, endormie dans son berceau. « Tu vois, c'est comme ça que ça marche. » J'ai compris ce qu'il essayait de me dire, mais j'ai eu l'impression que ce qu'il avait sur le bout de la langue, c'était : « Les vieux à la casse, place aux jeunes. » Il avait au moins essayé. Fred et Donald se comportaient comme si rien n'avait changé. Leur fils et frère était mort, mais ils discutaient de manœuvres politiques new-yorkaises, de business et de femmes laides, comme d'habitude.

Quand Fritz et moi sommes rentrés pour les vacances de Noël, nous sommes allés trouver Irwin Durben, un des avocats de mon grand-père et, depuis la mort de Matthew Tosti, le principal contact de ma mère, pour voir avec lui les détails du patrimoine de mon père. J'ai appris avec stupéfaction qu'il en avait un. Je croyais qu'il était mort pratiquement sans le sou. Mais apparemment, il y avait des trusts mis en place par mon grand-père et mon arrière-grand-mère, semblables à celui qui payait mon internat, dont j'ignorais l'existence à l'époque. Ils devaient être partagés entre mon frère et moi, et rester en fidéicommis jusqu'à nos trente ans. Les personnes désignées pour gérer ces fonds et protéger nos intérêts à long terme étaient Irwin Durben, ma tante Maryanne et mes oncles Donald et Robert. Si Irwin était notre contact – c'était lui que nous devions appeler ou voir si nous avions une question, un problème ou des besoins financiers imprévus –, Donald était l'arbitre ultime des autorisations et le cosignataire de tous les chèques.

Le bureau d'Irwin disparaissait sous les piles de documents. Assis derrière, il a commencé à nous expliquer précisément ce que nous étions sur le point de signer. Avant qu'il soit allé bien loin, Fritz l'a interrompu : « Mary et moi en avons déjà parlé, et nous devons nous assurer avant tout que maman ne manquera de rien.

– Bien sûr », a répondu Irwin. Puis, pendant deux heures, il a méthodiquement passé en revue tous les papiers jusqu'au dernier. La somme réelle que me laissait mon père n'était pas claire pour moi. Les fonds étaient des montages financiers complexes (du moins pour une jeune fille de seize ans), et il semblait y avoir des frais de succession énormes. Après avoir expliqué la signification de chacun des documents, il les poussait vers nous pour recueillir notre signature.

À la fin, il nous a demandé si nous avions des questions.

« Non », a répondu Fritz.

J'ai secoué la tête. Je n'avais pas compris un mot de ce qu'il avait dit.

III

Poudre aux yeux

9

Sauver la mise

« MARY TRUMP AGRESSÉE » titraient en grosses lettres les tabloïds new-yorkais, toujours aussi subtils, le lendemain de Halloween 1991. Même si j'étais déjà au courant, c'était choquant de voir les unes en passant devant les kiosques à journaux pour aller prendre le métro.

Ma grand-mère n'avait pas juste été « agressée ». Le gamin qui lui avait arraché son sac sur le parking d'un supermarché, alors qu'elle chargeait ses courses dans le coffre de sa Rolls-Royce, lui avait cogné la tête contre la voiture avec une telle force qu'elle avait fait une hémorragie cérébrale et partiellement perdu la vue et l'ouïe. En chutant sur le bitume, elle s'était fracturé le bassin et plusieurs côtes, ce qui était d'autant plus dangereux avec son ostéoporose. Le temps qu'elle arrive à l'hôpital Booth Memorial, elle était dans un état grave et nous n'étions pas sûrs qu'elle s'en tirerait.

C'est seulement une fois sortie de l'unité de soins intensifs et transférée dans une chambre individuelle que ses progrès commencèrent à être perceptibles, et

209

il fallut encore des semaines pour que ses douleurs deviennent supportables. Lorsqu'elle retrouva l'appétit, je pris l'habitude de lui apporter les choses qu'elle aimait. Un jour qu'elle buvait un milk-shake au caramel que je lui avais acheté en chemin, Donald arriva à l'improviste.

Il nous salua toutes les deux et l'embrassa rapidement.

« Tu as l'air en forme, maman.

– Elle va beaucoup mieux », confirmai-je.

Il s'assit dans un fauteuil à son chevet et posa un pied sur le montant du lit.

« Mary vient me voir tous les jours, indiqua Gam avec un grand sourire à mon intention.

– Ça doit être sympa d'être aussi libre de son temps », répondit-il en me regardant.

Je me tournai vers Gam. Elle roula les yeux, et je dus réprimer un fou rire.

« Comment ça va, chéri ? voulut savoir ma grand-mère.

– Mauvaise question. »

Il avait l'air énervé. Gam lui demanda des nouvelles des enfants, des nouvelles d'Ivana. Il n'avait pas grand-chose à dire. Manifestement lassé, il repartit au bout de dix minutes. Gam jeta un coup d'œil vers la porte pour être sûre qu'il n'était plus là.

« Eh ben, quelle bonne humeur ! »

Cette fois, je ris de bon cœur.

« Pour être honnête, il traverse une mauvaise passe », dis-je.

Au cours des douze mois précédents, le Taj Mahal,

son casino préféré d'Atlantic City, avait déposé le bilan à peine plus d'un an après son ouverture ; son mariage était un désastre, en partie à cause de sa liaison au grand jour avec Marla Maples ; il vivait grâce aux subsides des banques ; et l'édition de poche de son deuxième livre, *Survivre au sommet*, était parue sous un nouveau titre moins flatteur : *L'Art de la survie*. Bien que tout ça soit entièrement de sa faute, il avait l'air de se poser en victime plutôt que d'en tirer des leçons d'humilité.

« Pauvre Donald », se moqua Gam.

Elle paraissait presque guillerette, et je me demandai si les infirmières ne feraient pas bien de réduire ses doses d'antalgiques.

« Il a toujours été comme ça, poursuivit-elle. Je ne devrais pas le dire, mais j'étais très soulagée quand il est parti pour l'Académie militaire. Il n'écoutait personne, surtout pas moi, et il tourmentait sans cesse Robert. Et... oh, Mary, si tu avais vu le bazar qu'il mettait ! À l'internat, il avait des médailles de propreté, et quand il rentrait à la maison il continuait à se comporter comme un sagouin !

— Qu'est-ce que tu faisais ?

— Que voulais-tu que je fasse ? Il ne m'écoutait jamais. Et ton grand-père fermait les yeux, ajouta-t-elle en secouant la tête. Il lui passait tout. »

Ça m'étonna. Je m'étais toujours représenté Fred comme un tyran.

« Ça ne lui ressemble pas », dis-je.

À ce moment-là, mon grand-père était hospitalisé à

Manhattan pour se faire poser une prothèse de la hanche. Je crois qu'il n'avait été à l'hôpital qu'une seule fois, en 1989, quand il avait fallu lui enlever une tumeur dans le cou juste à côté de l'oreille droite. Je ne sais pas si le timing de son opération était une coïncidence ou si elle avait été programmée après l'hospitalisation de Gam pour qu'elle n'ait pas à se soucier de lui tant qu'elle était convalescente. L'état mental de Fred avait commencé à se détériorer depuis un moment et se dégrada brusquement pendant ce séjour à l'hôpital. Plusieurs fois, au milieu de la nuit, les infirmières le surprirent en caleçon qui essayait de s'enfuir. Il leur disait qu'il allait retrouver Mme Trump. Gam avait l'air plutôt contente de rester introuvable.

Le succès de Donald – ou du moins ce qui fut perçu comme tel – avec le Grand Hyatt en 1980 avait ouvert la voie à la Trump Tower, inaugurée en grande pompe en 1983. De sa façon paraît-il épouvantable de traiter les ouvriers sans papiers aux soupçons de collusion avec la Mafia, le projet n'avait cessé de susciter la controverse. Le pompon fut la destruction des magnifiques bas-reliefs Art déco sur la façade de l'immeuble Bonwit Teller, qu'il avait rasé pour bâtir sa tour à la place. Donald avait pourtant promis d'en faire don au Metropolitan Museum of Art. Mais après s'être rendu compte que les prélever en un morceau coûterait de l'argent et ralentirait le chantier, il avait ordonné leur destruction. Quand on l'interrogea sur ce manquement à sa parole, il rétorqua avec un haussement d'épaules que ces sculptures n'avaient « aucune valeur artistique », comme s'il s'y connaissait mieux que les experts. Avec le temps, cette attitude – prétendre être plus compétent que tout le monde – ne ferait qu'empirer : plus ses connaissances diminuaient (en particulier dans le champ politique), plus ses affirmations de tout savoir augmentaient en proportion directe de son sentiment d'insécurité, ce qui nous a conduits là où nous en sommes aujourd'hui.

En vérité, si les deux premiers projets de Donald ont pu être menés à terme à peu près sans encombre, c'est largement grâce à l'expertise de Fred en tant que promoteur et négociateur. Ni le Grand Hyatt ni la Trump Tower n'auraient vu le jour sans ses contacts, son entregent, son assentiment, son argent, son savoir-faire et, peut-être le plus important, son adoubement.

Jusque-là, Donald dépendait entièrement de l'argent et des relations de Fred... même s'il ne l'admettait jamais en public et s'attribuait le mérite exclusif de ses succès. Les médias le croyaient sur parole et les banques en firent autant lorsqu'il se mit en tête de devenir exploitant de casinos dans le New Jersey, État qui en 1977 avait légalisé les jeux d'argent à Atlantic City dans l'espoir de sauver cette station balnéaire sur le déclin. Si l'opinion de mon grand-père avait un tant soit peu compté pour lui, Donald n'aurait jamais investi à Atlantic City. Aux yeux de Fred, Manhattan était une prise de risque qui valait la peine, tandis qu'à Atlantic City il n'aurait à offrir que son argent et ses conseils, sans aucun poids politique ni connaissance du métier sur lesquels s'appuyer. Mais, à cette époque, Donald s'émancipait peu à peu de l'influence paternelle, et en 1982 il déposa une demande de licence de jeu.

Pendant que son frère cherchait des opportunités d'investissement, Maryanne, procureure adjointe du New Jersey depuis le milieu des années 1970, lui demanda s'il voulait bien intercéder auprès de Roy Cohn pour lui obtenir une faveur. Cohn avait suffisamment de poids au sein du gouvernement Reagan pour avoir accès à l'AZT, un traitement contre le sida encore expérimental, et son mot à dire sur les nominations judiciaires. Il se trouvait fort opportunément qu'un siège était à pourvoir à la cour de district des États-Unis pour le New Jersey. Maryanne pensait que ça lui irait bien, et Donald qu'il pourrait s'avérer utile d'avoir quelqu'un de la famille à ce poste dans un État où il comptait développer ses affaires. Cohn passa un coup de fil au ministre de la Justice, Ed Meese, et Maryanne fut nommée en octobre.

Autre signe de la perte d'influence de Fred, Donald avait acheté pour plus de 300 millions de dollars un casino qui deviendrait en 1985 le Trump's Castle, seulement un an après avoir acheté le Harrah's, devenu le Trump Plaza. Pour Donald, trop était toujours mieux ; Atlantic City avait selon lui un potentiel illimité, donc deux casinos valaient mieux qu'un. À

l'époque, ses sociétés avaient déjà des milliards de dollars de dettes (en 1990, sa dette personnelle atteindrait
975 millions). Nonobstant, il acheta cette même année
Mar-a-Lago pour 8 millions ; en 1988, un yacht pour
29 millions, et en 1989 la compagnie Eastern Air Lines
pour 365 millions. En 1990, il fut contraint d'émettre
presque 700 millions de dollars en obligations à haut
risque, à quatorze pour cent de taux d'intérêt, juste
pour terminer les travaux de son troisième casino,
le Taj Mahal. À croire que le simple volume de ses
acquisitions, leur coût et l'audace de ces transactions
aveuglaient tout le monde, y compris les banques, sur
le montant exponentiel de sa dette et son sens des
affaires douteux.

Le bling-bling clinquant d'Atlantic City séduisait
Donald presque autant que l'attrait de l'argent facile.
La maison gagne toujours, après tout, et il y avait fort
à parier que quiconque pouvait s'offrir la mise de départ
s'enrichirait forcément. Atlantic City était par ailleurs
complètement en dehors de la sphère de Fred, ce qui
n'était pas pour déplaire à Donald. Mis à part l'investissement initial massif réalisé notamment grâce à Fred,
exploiter un casino, contrairement au Grand Hyatt et
à la Trump Tower qui étaient des projets immobiliers
au bout du compte gérés par d'autres entités, serait
une affaire au long cours. Ce serait donc la première
occasion pour Donald de réussir indépendamment de
son père.

Posséder son propre casino lui procura un terrain de

jeu XXL ; il pouvait entièrement façonner ce monde à ses goûts. Et tant qu'à en avoir un, pourquoi pas deux, et même pourquoi pas trois ? Bien entendu, ces établissements étaient en concurrence et allaient finir par se cannibaliser les uns les autres. Si absurde que ce soit, il y avait une certaine logique dans ce désir de « toujours plus » puisque ça avait fonctionné pour son père. Mais Donald ne comprenait pas, et refusait d'apprendre, que posséder et gérer des casinos n'avait strictement rien à voir avec la gestion d'immeubles locatifs à Brooklyn, depuis le modèle économique jusqu'au type de clientèle en passant par le marché et le calcul des risques. Incapable de saisir ces différences flagrantes, il s'imaginait que « plus était mieux » à Atlantic City comme ça l'avait été pour mon grand-père à New York. Si un casino était une poule aux œufs d'or, trois seraient un poulailler. Il ferait avec les casinos ce que Fred avait fait avec ses immeubles.

Cependant, on comprend mal pourquoi les banques et les financiers qui avaient investi dans ses deux premiers établissements ne se sont pas opposés plus vigoureusement à ce qu'il en ouvre un troisième, qui risquait d'amputer leurs gains. Qu'il ait réussi à trouver de nouveaux investisseurs défie aussi l'entendement. Un simple coup d'œil aux chiffres – notamment au service de la dette – aurait dû faire fuir le prêteur le plus intrépide. Mais à la fin des années 1980, personne ne disait non à Donald, légitimant ainsi un énième projet mal avisé qui eut pour effet secondaire de boursoufler un peu plus l'ego d'un homme qui n'avait aucune chance de s'en sortir.

En août de cette même année 1990 parut *Survivre au sommet*, et en quelques semaines il fut clair que le sujet et le timing du livre étaient si mal choisis que ça en devenait presque comique.

En juin, Donald avait manqué une échéance de 43 millions de dollars pour le Trump's Castle. Six mois plus tard, mon grand-père envoya son chauffeur avec plus de trois millions en liquide afin d'acheter des jetons au Castle. En d'autres termes, il paya des jetons qu'il n'avait pas l'intention de miser ; son chauffeur se contenta de les mettre dans une mallette et de quitter le casino. Mais ce ne fut pas suffisant. Le lendemain, Fred vira 150 000 dollars supplémentaires au Castle, vraisemblablement pour acheter de nouveaux jetons. Même si ces manœuvres aidèrent provisoirement, elles valurent par la suite à mon grand-père une amende de 30 000 dollars pour avoir enfreint une règle de la commission des jeux interdisant à des sources financières non autorisées de prêter de l'argent à un casino. S'il voulait continuer à prêter de l'argent à Donald pour maintenir ses établissements à flot (ce qui était le cas), il allait devoir lui aussi obtenir une licence de jeu dans le New Jersey. Mais c'était trop tard. Donald avait beau contrôler trente pour cent des parts de marché d'Atlantic City, le Taj Mahal empêchait ses deux autres casinos de gagner de l'argent (à eux deux, le Plaza et le Castle perdirent 58 millions de dollars l'année où le Taj ouvrit).

La dette cumulée des trois établissements se montait à 94 millions par an, et le Taj à lui seul avait besoin d'engranger plus d'un million de dollars *par jour* juste pour rentrer dans ses frais.

Les banques perdaient des sommes astronomiques. Au moment de l'ouverture du Taj, Donald et ses créanciers étaient en discussion pour essayer de voir comment contenir et limiter ses dépenses. Le risque d'un nouveau défaut de paiement voire d'une faillite planait encore, et il fallait trouver une solution qui préserverait l'image de Donald, ce qui par ricochet préserverait l'argent des banques. Sans cette image de succès et de confiance en soi, les banquiers craignaient que ses propriétés, déjà mal en point, ne perdent encore plus de valeur. Tout reposait sur son nom : sans lui, il n'y aurait ni clients, ni locataires, ni candidats pour acheter ses obligations et donc pas de nouveaux revenus.

En plus d'avancer à Donald de quoi couvrir ses coûts d'exploitation, les banques parvinrent à un accord avec lui en mai 1990 aux termes duquel elles s'engageaient à lui verser une allocation mensuelle de 450 000 dollars… soit presque 5,5 millions par an pour s'être planté lamentablement. Et c'était juste pour ses dépenses personnelles : le triplex dans la Trump Tower, le jet privé, le crédit de Mar-a-Lago. S'il voulait pouvoir vendre son image, Donald devait continuer à mener le train de vie qui allait avec.

Afin de le garder à l'œil, les banques exigèrent une rencontre tous les vendredis pour qu'il leur rende compte à la fois de ses dépenses et des progrès qu'il faisait dans la vente de certains de ses biens, comme le yacht. En mai 1990, il était clairement dans une situation critique. Mais il avait beau se plaindre à Robert que les banques le « tuaient », la vérité était qu'il leur était redevable comme jamais il ne l'avait été à son père : c'était simplement la première fois qu'il était bridé, et la sensation était désagréable. Il avait l'obligation légale de rembourser les banques, et dans le cas contraire il y aurait des conséquences. Du moins il aurait dû y en avoir.

Malgré ces restrictions, Donald continua à dépenser de l'argent qu'il n'avait pas, dont 250 000 dollars pour la bague de fiançailles de Marla et dix millions pour Ivana dans le cadre de leur jugement de divorce. Je crois qu'il ne lui a jamais effleuré l'esprit qu'il ne pouvait pas dépenser comme ça lui chantait, quelles que soient les circonstances. Les banques l'admonestaient car il ne respectait pas leur accord, mais elles ne prirent jamais aucune mesure contre lui, ce qui ne fit que renforcer sa conviction de pouvoir faire ce que bon lui semblait, comme à son habitude.

En un sens, on ne peut pas vraiment en vouloir à Donald. À Atlantic City, il s'était libéré du besoin qu'il avait jusque-là de l'approbation ou de la permission de son père. Il n'était même plus contraint de faire sa propre propagande ; l'opinion boursouflée qu'il avait de lui-même était à la fois alimentée et validée par les banques qui l'arrosaient à coups de centaines de millions de dollars et les médias qui le couvraient d'une attention et de louanges injustifiées. Les deux combinés le rendaient aveugle à la gravité de sa situation. Les illusions de mon grand-père sur Donald étaient désormais partagées par le monde entier.

Elles n'en restaient pas moins des illusions. Donald était toujours, en substance, une construction mentale de Fred. À présent il appartenait aux banques et aux médias. Il existait grâce à eux tout en étant dépendant d'eux, comme c'était auparavant le cas avec Fred. Il avait en surface ce qu'il fallait de charme, voire de charisme, pour en embobiner certains. Et quand son charme ne suffisait pas, il déployait une autre « stratégie commerciale » : il piquait des colères au cours desquelles il menaçait de mettre sur la paille ou de démolir d'une façon ou d'une autre quiconque refusait de lui donner ce qu'il voulait. Dans tous les cas, il gagnait.

Donald réussissait parce qu'il avait réussi. Mais c'était un postulat qui ignorait une réalité fondamentale : il n'avait jamais accompli et ne pouvait accomplir ce dont on lui attribuait le mérite. Malgré cela, son ego désormais débridé avait besoin d'être continuellement nourri, pas uniquement par sa famille mais par tous ceux qui croisaient son chemin.

L'élite new-yorkaise ne le considérerait jamais autrement que comme un bouffon du Queens, pourtant elle accréditait ses prétentions et sa grandiloquence en l'invitant à ses fêtes et en le laissant fréquenter ses lieux de prédilection (comme Le Club). Plus les New-Yorkais réclamaient du spectacle, plus les médias s'empressaient de leur en fournir… y compris aux dépens de sujets plus sérieux et plus importants. Pourquoi ennuyer les gens avec des articles abscons sur les méandres de ses transactions bancaires ? Ces divers dérivatifs et tours de passe-passe bénéficiaient formidablement à Donald tout en lui offrant exactement ce qu'il voulait : l'adoration permanente de médias focalisés sur son divorce croustillant et ses supposées prouesses sexuelles. Si les médias pouvaient nier la réalité, lui aussi.

Par je ne sais quel miracle, j'étais entrée à l'université Tufts après l'internat, et bien que j'aie raté le deuxième semestre de ma première année, j'obtins mon diplôme de premier cycle en 1989. Un an plus tard, juste avant le modeste achat par mon grand-père de 3,15 millions de dollars de jetons de casino, j'intégrai le deuxième cycle de littérature anglaise et comparée à l'université Columbia.

Deux mois après la rentrée, mon appartement fut cambriolé. Tout mon matériel électronique, y compris ma machine à écrire, essentielle pour mes études, avait disparu. Quand j'appelai Irwin pour demander si je pouvais avoir une avance sur mon allocation mensuelle, il refusa. Mon grand-père pensait que je devais trouver du boulot, me dit-il.

Alors que je rendais visite à ma grand-mère peu après, je lui expliquai ma situation et elle proposa de me faire un chèque.

« Ça va aller, Gam, je dois seulement attendre deux ou trois semaines.

— Mary, me répondit-elle, ne refuse jamais l'argent qu'on t'offre. »

Elle me fit le chèque et je pus me racheter une machine à écrire dans la semaine.

Je reçus bientôt un coup de fil agacé d'Irwin.

« Tu as demandé de l'argent à ta grand-mère ?

— Pas exactement, non. Je lui ai raconté que j'avais été cambriolée et elle m'a aidée. »

En épluchant les relevés détaillés de ses comptes personnels et professionnels, ainsi que ceux de ma grand-mère, comme c'était son habitude à la fin de chaque mois, mon grand-père avait découvert le chèque qu'elle m'avait fait, et il était furieux.

« Tu devrais faire attention, m'avertit Irwin. Ton grand-père parle souvent de te déshériter. »

Je reçus un autre coup de fil de lui quelques semaines plus tard. Mon grand-père était de nouveau mécontent, cette fois parce qu'il n'aimait pas la signature avec laquelle j'endossais mes chèques.

« Irwin. Tu plaisantes ?

— Non. Il la trouve illisible.

— C'est une *signature*. »

Il marqua une pause et poursuivit d'un ton plus doux.

« Change-la. Mary, il faut que tu joues le jeu. Ton grand-père pense que tu es égoïste, et il risque de ne plus rien te rester le jour de tes trente ans. »

Mais je ne comprenais pas ce qu'il entendait par « le jeu ». C'était ma famille, pas une bureaucratie.

« Je ne vois pas ce que je fais de mal. Je suis inscrite en master dans une des plus prestigieuses universités du pays.

– Il s'en fiche.

– Donald est au courant ?

– Oui.

– C'est mon curateur. Qu'est-ce qu'il en pense ?

– Donald ? s'étonna Irwin avec un rire condescendant. Rien. »

L'Alzheimer de mon grand père n'avait pas encore été diagnostiqué à l'époque, mais il avait déjà des problèmes de démence depuis un moment, si bien que je n'ai pas pris ces menaces très au sérieux. Mais j'ai quand même changé de signature.

Tout le monde dans ma famille a souffert de ce curieux mélange de privilège et de négligence. Même si matériellement j'avais tout ce qu'il me fallait – et le luxe d'écoles et de colonies de vacances privées –, il y avait une incertitude délibérément entretenue que peut-être rien de tout ça ne durerait. De la même manière, nous avions le sentiment tantôt décourageant, tantôt dévastateur que rien de ce que nous faisions n'avait réellement d'importance ou, pire, que *nous* n'avions pas d'importance. À part Donald.

Trump Management, dont Donald parlait souvent comme d'une « boîte à la con », se portait plutôt bien. Fred se versa plus de 109 millions de dollars entre 1988 et 1993, et il avait encore des dizaines de millions supplémentaires à la banque. Trump Organization, la société que Donald disait gérer, connaissait en revanche des problèmes de plus en plus graves.

Réduit à une allocation mensuelle – sur laquelle une famille de quatre aurait pu vivre confortablement pendant dix ans, mais une allocation quand même – et banni par les banques, qui refusaient enfin de continuer à lui prêter de l'argent, Donald croyait dur comme fer que ce qui lui arrivait était le fruit de la situation économique générale, de la façon injuste dont le traitaient les banques et de la malchance.

Il voyait toujours tout comme une injustice ; ce qui rencontrait un écho chez Fred, qui nourrissait lui-même ses propres griefs et n'avait jamais non plus assumé que ses succès. Le talent de Donald pour rejeter la faute sur les autres lui venait droit de son père. Malgré les millions et millions de dollars qu'il investit à perte, Fred ne put enrayer les échecs de Donald, par contre il était très fort pour trouver un bouc émissaire, comme il l'avait toujours fait quand lui-même était rattrapé par ses faux pas et ses erreurs de jugement, par exemple lorsqu'il mit le fiasco de Steeplechase sur le dos de Freddy. Donald savait qu'assumer ses échecs – ce qui bien entendu supposait d'abord de les reconnaître – n'était pas une chose que Fred admirait ; il avait vu où ça avait mené Freddy.

Il est tout à fait possible qu'à la fin des années 1960 et au début des années 1970 Fred n'ait pas mesuré l'ampleur de l'incompétence de Donald. Admettre une quelconque faiblesse chez le fils sur lequel il avait misé l'avenir de son empire et pour lequel il avait sacrifié Freddy aurait été presque insupportable. Il était bien plus simple de se convaincre que le talent de Donald était trop à l'étroit à Brooklyn, qu'il avait juste besoin d'un terrain de jeu à sa hauteur.

Alors que l'hôtel Commodore se transformait petit à petit en Grand Hyatt, Fred était si aveuglé par le succès avec lequel Donald manipulait et dénaturait tous les aspects du processus pour parvenir à ses fins qu'il sembla oublier à quel point ses relations, son expérience et ses compétences avaient été cruciales ; ni le Hyatt ni la Trump Tower n'auraient vu le jour sans elles. Même Fred devait avoir le vertige devant l'attention que suscitait Donald pour deux projets qui, développés par n'importe qui d'autre, auraient été considérés comme relativement ordinaires dans le paysage de Manhattan.

Fred savait depuis le début quel jeu jouait Donald, puisque c'était lui qui lui avait appris à y jouer. Infléchir les règles, mentir, tricher... Aux yeux de Fred, tout cela était légitime en affaires. La stratégie la plus efficace pour le père comme le fils restait celle du bonneteau. Pendant que Fred continuait à pondre des projets à la chaîne et à consolider son statut de « Maître bâtisseur de l'après-guerre », il engraissait son compte en banque avec l'argent des contribuables en détournant des subventions et, paraît-il, en fraudant tellement les impôts que quatre de ses enfants en bénéficieraient encore durant des décennies. De même, pendant que les gogos se focalisaient sur les histoires croustillantes dont Donald s'appliquait à nourrir les tabloïds, il se forgeait une réputation de gagneur fondée sur des emprunts pourris, de mauvais investissements et des erreurs de jugement abyssales. Si Fred était à la tête d'une affaire effectivement solide et lucrative – malgré sa malhonnêteté et son manque d'intégrité –, Donald n'avait que l'argent de son père et sa capacité à noyer le poisson pour faire illusion : c'était toute la différence.

Après sa tentative ratée d'implantation à Atlantic City, force était de constater que non seulement Donald n'était pas fait pour le boulot rébarbatif de gestion de plusieurs dizaines d'immeubles locatifs dans les arrondissements périphériques de New York, mais qu'il n'était pas fait pour gérer des affaires tout court – même celles qui reposaient supposément sur son goût pour les paillettes et son talent pour l'autopromotion et l'autoglorification.

Quand Fred vantait le génie de Donald et clamait que la réussite de son fils avait largement surpassé la sienne, il n'en croyait sans doute pas un mot lui-même ; il était trop intelligent et trop bon en arithmétique pour le penser – les chiffres ne tenaient pas debout, tout simplement. Mais le fait que Fred ait continué à soutenir Donald en dépit du bon sens suggère qu'autre chose était en jeu.

Car Fred a bel et bien nié la réalité du terrain à Atlantic City. Il s'était déjà montré réfractaire aux faits quand

226

ils ne collaient pas avec sa version, alors il accusa les banques, l'économie et le milieu des casinos avec autant de véhémence que son fils. Fred s'était tellement investi dans le fantasme de la réussite de Donald qu'ils étaient devenus inextricablement liés. Pour voir la réalité en face, il lui aurait fallu admettre sa propre responsabilité, ce qui était hors de question. Il avait fait tapis et, même si n'importe qui de sensé se serait couché, il était déterminé à doubler la mise.

L'enfumage médiatique était encore assez fort pour brouiller le jugement de Fred et, grâce aux banques que le père et le fils ne cessaient de calomnier, ce prodigieux revers financier n'entama pas d'un pouce le train de vie de Donald. Pour finir, il y avait aussi les effets insidieux d'une maladie d'Alzheimer non encore diagnostiquée sur les capacités décisionnelles de Fred. Déjà enclin à ne voir que le meilleur dans tout ce que son fils avait de pire, il confondait de plus en plus facilement le battage qui entourait Donald et la réalité.

Comme toujours, la seule leçon qu'en tira Donald fut celle qui validait son hypothèse de départ : malgré tout ce qui pouvait se passer, malgré tous les dégâts qu'il laissait dans son sillage, lui finissait par s'en sortir. Savoir à l'avance que vous serez sauvé même en cas d'échec rend anecdotique la réalité du chemin parcouru. Affirmez sans vergogne qu'un fiasco est une victoire éclatante et ça le deviendra rétroactivement. Voilà qui garantissait que Donald ne changerait jamais, même s'il en avait été capable : il n'en avait tout simplement pas besoin. C'était aussi la garantie à l'avenir d'une cascade d'échecs de plus en plus retentissants dont nous serions tous au bout du compte des victimes collatérales.

Alors que s'accumulaient les faillites et les difficultés, Donald fut confronté pour la première fois aux limites de ses capacités à se sortir d'un problème uniquement par de belles paroles ou des menaces. Toujours très doué pour se trouver une échappatoire, il semblerait qu'il ait alors imaginé un plan visant à trahir son père et à voler d'énormes sommes d'argent à ses frères et sœurs. Il prit secrètement contact avec deux des plus anciens employés de mon grand-père, Irwin Durben, son avocat, et Jack Mitnick, son comptable, et les chargea de rédiger un codicille au testament de Fred qui lui donnerait le contrôle total sur l'héritage, y compris l'empire immobilier et toutes ses holdings, à la mort de ce dernier. Maryanne, Elizabeth et Robert seraient concrètement à la merci financière de Donald, dépendants de son bon vouloir pour la moindre transaction.

Comme le raconta par la suite ma grand-mère à Maryanne, quand Irwin et Jack arrivèrent à la Maison pour faire signer le codicille à Fred, ils le lui présentèrent comme si c'était son idée depuis le début. Mon grand-père, qui était plutôt dans un jour lucide, sentit que quelque chose n'allait pas, sans savoir exactement quoi. Furieux, il refusa de signer. Après le départ d'Irwin et de Jack, Fred fit part de ses inquiétudes à sa femme. Gam appela aussitôt sa fille aînée pour lui expliquer du mieux qu'elle put ce qui s'était passé. En gros, résuma-t-elle, Fred avait « flairé l'entourloupe ».

Malgré son expérience de procureure, Maryanne avait des connaissances limitées sur les trusts et les héritages. Elle demanda à son second mari, John Barry, un avocat réputé et respecté du New Jersey, de lui recommander quelqu'un pour l'aider, et il chargea un de ses confrères d'examiner la situation. Il ne fallut guère longtemps pour découvrir la manœuvre de Donald. Suite à cela, mon grand-père rédigea un nouveau testament qui remplaça celui datant de 1984 et Maryanne, Donald et Robert furent tous trois désignés comme exécuteurs. En outre, une nouvelle règle fut instaurée : chaque fois que Fred donnerait quelque chose à Donald, il devrait donner le même montant aux trois autres enfants.

Maryanne dirait, des années plus tard : « On aurait été sans le sou. Elizabeth se serait retrouvée à mendier sur un coin de trottoir. On aurait dû supplier Donald dès qu'on voulait se payer un café. » C'était par « pure chance » qu'ils avaient pu stopper à temps cette manigance. Pourtant la fratrie continua à se réunir à toutes les fêtes comme si de rien n'était.

Mais il y a une logique : Donald n'aurait pas tenté d'extorquer à Fred le contrôle de son héritage si Fred ne lui avait pas fait croire qu'il était la seule personne qui comptait. Donald avait toujours reçu plus ; on avait *investi* en lui ; on l'avait glorifié au détriment de

Maryanne, d'Elizabeth, de Robert (et même de sa mère), et aux dépens de Freddy. Dans sa tête, le succès et la réputation de toute la famille reposaient sur ses épaules. En un sens, il est compréhensible qu'au vu de tout cela il ait eu le sentiment de mériter pas seulement plus que sa part, mais la totalité.

J'étais à la fenêtre de mon studio en train de contempler les bouchons sur le pont de la 59ᵉ Rue quand Donald m'appela depuis son avion, ce qui n'arrivait pas souvent.

« Le doyen de Tufts m'a envoyé une lettre que tu as écrite.

— Ah bon ? Pourquoi ? »

Il me fallut une minute pour comprendre de quoi il parlait. Un de mes professeurs était en attente de titularisation, et avant de passer mon diplôme j'avais écrit une lettre pour le soutenir. Ça remontait à quatre ans plus tôt, j'avais complètement oublié.

« Il voulait me montrer tout le bien que tu pensais de Tufts. C'était pour une levée de fonds.

— Ah, je suis désolée. C'est un peu déplacé de sa part.

— Non, non, j'ai trouvé ta lettre fantastique. »

Je ne voyais pas où il voulait en venir. Et puis Donald a dit, de but en blanc : « Tu ne voudrais pas écrire mon prochain livre ? L'éditeur me presse de m'y mettre, et je me disais que ce serait une super opportunité pour toi. Ce sera sympa.

— Ça me paraît fantastique », ai-je répondu.

Ce qui était vrai. J'ai entendu le moteur de l'avion rugir en arrière-fond et je me suis souvenue d'où il m'appelait.

« Tu vas où, au fait ?

– Je rentre de Vegas. Passe un coup de fil à Rhona demain. »

Rhona Graff, son assistante de direction à la Trump Organization.

« D'accord, Donald, merci. »

Ce n'est qu'après, en relisant la lettre, que j'ai compris pourquoi faire appel à moi lui avait paru une bonne idée ; non parce que ce serait « fantastique », mais parce que la lettre montrait que j'étais douée pour mettre en valeur quelqu'un d'autre.

Quelques jours plus tard, on m'attribuait mon propre bureau dans l'open-space de la Trump Organization. Un endroit quelconque avec des faux plafonds, un éclairage au néon et d'immenses armoires métalliques le long des murs. Ça ressemblait plus aux locaux ternes de Trump Management sur l'Avenue Z qu'aux parois de verre et d'or placardées de couvertures de magazines avec la tête de Donald qui accueillaient les visiteurs à l'entrée.

J'ai passé ma première semaine sur place à me familiariser avec les gens qui travaillaient là et avec le système de classement (à ma grande surprise, il y avait un dossier à mon nom contenant une seule feuille de papier : une lettre manuscrite que j'avais envoyée à Donald pendant mon année de première, dans laquelle je lui demandais s'il pouvait m'avoir deux places pour un concert des

Rolling Stones ; il n'avait pas pu). Je restais dans mon coin la plupart du temps mais, quand j'avais des questions, Ernie East, un des vice-présidents de la société, un homme très sympathique, était là pour m'aider. Il me suggérait des documents qui pourraient m'être utiles, et à l'occasion déposait sur mon bureau des dossiers qu'il pensait pouvoir me servir. Le problème était que je ne savais pas vraiment de quoi le livre était censé parler au-delà de sa thématique générale, que j'avais ingénieusement déduite de son titre provisoire, *The Art of the Comeback*.

Je n'avais lu aucun des deux précédents livres de Donald, mais j'en avais entendu parler. *The Art of the Deal*, d'après ce que j'en avais compris, avait pour objectif de présenter Donald sous les traits d'un promoteur immobilier respectable. L'homme qui l'avait écrit pour lui, Tony Schwartz, avait fait du bon boulot – ce qu'il a largement regretté depuis –, faisant passer Donald pour quelqu'un de cohérent qui embrassait en toute conscience une philosophie des affaires érigée en principe de vie.

Après l'embarras de la parution à contretemps de *Survivre au sommet*, je supposais que Donald voulait un retour au relatif sérieux de son livre précédent. J'avais donc entrepris d'expliquer comment, dans des circonstances extrêmement hostiles, il était remonté des abysses, victorieux et auréolé de succès comme jamais. Il n'y avait pas grand-chose pour étayer ce scénario – il était sur le point d'essuyer sa quatrième faillite avec l'hôtel Plaza –, mais il fallait bien que j'essaie.

Tous les matins, en arrivant, je passais voir Donald dans l'espoir qu'il aurait le temps de m'accorder une interview. Je me disais que ce serait le meilleur moyen de découvrir ce qu'il avait fait et comment. C'était son point de vue qui comptait, et j'avais besoin qu'il me raconte l'histoire avec ses propres mots. Il était généralement au téléphone, qu'il mettait sur haut-parleur dès que je m'asseyais. Ces appels, d'après ce qu'il m'a été donné d'en voir, ne concernaient presque jamais ses affaires. Les différentes personnes au bout du fil, qui ne savaient pas qu'elles étaient sur écoute, cherchaient surtout des potins, l'opinion de Donald sur les femmes ou sur tel nouveau club qui venait d'ouvrir. Parfois, on lui demandait un service. Souvent, la conversation tournait autour du golf. Chaque fois que quelque chose de particulièrement fla-gorneur, salace ou stupide était prononcé, Donald me désignait le haut-parleur avec un sourire narquois, comme pour dire : « Quel idiot. »

Quand il n'était pas au téléphone, je le trouvais en train de feuilleter la revue de presse qu'on lui préparait quoti-diennement. Tous les articles sans exception parlaient de lui, ou au moins le mentionnaient. Il me les montrait, comme il le faisait avec la plupart des visiteurs. Selon le contenu de l'article, il lui arrivait de l'annoter au feutre bleu, du même modèle que ceux qu'utilisait mon grand-père, avant de le renvoyer au journaliste. Après avoir fini d'écrire, il me le tendait et me demandait mon avis sur ce qu'il considérait comme des mots d'esprit. Ça ne m'aidait pas dans mes recherches.

Plusieurs semaines après mon embauche, je n'avais toujours pas été payée. Quand j'ai voulu aborder le sujet avec lui, il a d'abord fait semblant de ne pas comprendre ce dont je parlais. Je lui ai expliqué que j'avais besoin d'une avance pour pouvoir au moins m'acheter un ordinateur et une imprimante (je tapais toujours sur la même machine à écrire électrique que j'avais achetée avec l'aide de Gam au début de mon master). Il m'a répondu qu'il pensait que c'était un problème à voir avec la maison d'édition.

« Tu ne veux pas appeler Random House ? »

Je ne le savais pas à l'époque, mais l'éditeur de Donald n'avait aucune idée qu'il m'avait embauchée.

Un soir, alors que j'étais chez moi à essayer de trouver comment tirer quelque chose de vaguement intéressant de la masse de documents inintéressants que j'avais épluchés, j'ai reçu un coup de fil de Donald.

« Quand tu arriveras au bureau demain, Rhona te donnera quelques pages à lire. J'ai bossé pour le livre. C'est très, très bon. »

Il avait l'air tout excité.

Enfin, j'allais avoir de quoi travailler, une idée de la façon dont organiser tout ça. J'ignorais ce qu'il pensait de son « come-back », comment il gérait ses affaires, ou même quel rôle il avait joué dans ses projets en cours de développement.

Le lendemain, comme promis, Rhona m'a remis une enveloppe kraft contenant une dizaine de pages dactylographiées. Je l'ai apportée à mon bureau et j'ai commencé à lire. Quand j'ai eu fini, je ne savais pas quoi penser.

C'était clairement la transcription d'un enregistrement audio, ce qui expliquait le style très oral. Il s'agissait d'une compilation rageuse des femmes avec qui il avait voulu coucher mais qui, s'étant refusées à lui, étaient soudain devenues les pires laiderons qu'il ait jamais rencontrés. Les points essentiels à retenir étaient que Madonna mâchait son chewing-gum d'une façon que Donald trouvait répugnante et que Katarina Witt, une patineuse artistique est-allemande double championne olympique et quadruple championne du monde, avait de gros mollets.

J'ai arrêté de lui demander une interview.

De temps en temps, Donald prenait des nouvelles de ma mère. Cela faisait quatre ans qu'il ne l'avait pas vue, depuis qu'Ivana et Blaine avaient posé un ultimatum à Gam juste avant Thanksgiving : si Linda était invitée, ce serait sans elles. Elles trouvaient leur ex-belle-sœur trop réservée et déprimée, elles n'arrivaient pas à s'amuser quand elle était là. Ma mère était entrée dans la famille Trump en 1961, et bien que je n'aie jamais compris pourquoi mon grand-père persistait à requérir sa présence aux fêtes familiales après le divorce de mes parents, elle venait toujours. Plus de vingt-cinq ans après, ma grand-mère lui préféra Ivana et Blaine, sans se soucier de savoir comment cette décision risquait de nous affecter, mon frère et moi.

Un jour, Donald me dit : « Je crois qu'on a fait une grosse erreur de continuer à entretenir ta mère. Il aurait sans doute mieux valu qu'on lui coupe les vivres après un an ou deux et qu'elle soit obligée de voler de ses propres ailes. »

L'idée que n'importe qui d'autre qu'eux-mêmes puisse avoir droit à de l'argent ou à une aide qu'il n'avait pas gagnés à la sueur de son front était tout simplement impossible à concevoir pour Donald et pour mon grand-père. Rien de ce que ma mère avait reçu en tant qu'ex-femme du fils aîné d'une très riche famille, qui avait élevé quasiment seule deux des petits-enfants de Fred et Mary Trump, n'était venu de mon grand-père, encore moins de Donald, pourtant ils se comportaient tous les deux comme si c'était le cas.

Donald disait sans doute ça en croyant être gentil. Il avait eu par le passé des élans de gentillesse. Un jour, il m'avait donné cent dollars pour récupérer ma voiture à la fourrière. Et après la mort de mon père, c'était le seul membre de la famille à part ma grand-mère qui m'incluait toujours dans tout. Mais sa gentillesse s'était tellement déformée avec le temps – à force de ne pas servir, ou découragée par Fred – que ce qu'il considérait comme tel n'était pratiquement pas identifiable par les autres. Je l'ignorais sur le moment mais, alors que nous avions cette conversation, Donald recevait toujours des banques son allocation mensuelle de 450 000 dollars.

Un matin, alors que j'étais assise en face de lui pour organiser les détails de notre voyage à Mar-a-Lago (il pensait que ça m'aiderait pour le livre de voir de mes yeux sa villa de Palm Beach), le téléphone sonna. C'était un dénommé Philip Johnson.

Pendant qu'ils bavardaient, Donald sembla brusquement avoir une idée. Il mit le téléphone sur haut-parleur.

« Philip ! s'exclama-t-il. Il faut que tu parles avec ma nièce. Elle est en train d'écrire mon prochain livre. Tu pourrais lui parler du Taj. »

Je me suis présentée, et Philip m'a proposé de venir le voir dans sa maison du Connecticut la semaine suivante afin de discuter du livre.

Après avoir raccroché, Donald m'a dit : « Ce sera fantastique. Philip est un type super. Je l'ai embauché pour dessiner la *porta-co-share* du Taj Mahal. C'est génial, je n'ai jamais vu un truc pareil. »

Une fois réglée la logistique de notre voyage en Floride, j'ai quitté le bureau pour aller à la bibliothèque. Je n'avais aucune idée de qui était Philip Johnson et je n'avais jamais entendu parler de « porta-co-share ».

Le lendemain, dans la limousine qui nous amenait à l'aéroport, j'ai raconté à Donald que j'avais prévu d'aller voir Johnson chez lui ; j'avais appris à la bibliothèque qu'il vivait dans une très célèbre maison, la Glass House, que lui-même, très célèbre architecte, avait dessinée. J'avais également découvert que la chose qu'il avait imaginée pour le Taj – ce que Donald appelait une porta-co-share – était, en français dans le texte, une *porte cochère*, en gros un large auvent pour voitures. Je comprenais pourquoi Donald avait voulu impliquer Johnson dans le projet : il n'était pas seulement célèbre, il évoluait aussi dans le genre de cercles auxquels Donald aspirait. Ce qui m'échappait, en revanche, c'était pourquoi Johnson avait accepté de dessiner l'auvent du Taj. C'était un tout petit projet qui paraissait sans intérêt pour quelqu'un comme lui.

Quand, moins de dix minutes après être monté en voiture, Donald attrapa le *New York Post*, je sus qu'il n'avait aucune intention de me donner des informations pour le livre. Je commençais à soupçonner qu'il m'avait engagée sans consulter sa maison d'édition parce qu'il ne voulait pas être cornaqué par des gens de chez eux. Ce serait aussi beaucoup plus facile de rembarrer sa nièce, qui n'avait pas de contrat et n'était quasiment pas payée, qu'un auteur professionnel qui placerait vraisemblablement plus d'enjeu dans le succès du livre. Mais nous étions sur le point de passer deux heures ensemble coincés dans un avion, alors j'espérais qu'il me parlerait pendant le vol.

Lorsque nous sommes entrés dans la cabine du jet privé qui nous attendait sur le tarmac, Donald a écarté les bras en disant : « Alors, qu'est-ce que tu en penses ? »

– C'est super, Donald. »

Je connaissais le mode d'emploi.

Dès que nous avons atteint notre altitude de croisière et que nous avons pu détacher nos ceintures, un de ses gardes du corps lui a remis une énorme pile de courrier et un verre de Coca Light. Je l'ai vu ouvrir une enveloppe après l'autre puis, après en avoir examiné le contenu quelques secondes, jeter le tout par terre. Quand un tas conséquent commençait à se former, le même type réapparaissait, ramassait le tas et le mettait à la poubelle. Et ainsi de suite, encore et encore. J'ai changé de place pour ne pas avoir à regarder ça.

Lorsque la voiture se gara devant l'entrée de Mar-a-Lago, le personnel nous y attendait. Donald partit avec son majordome et je me présentai à tous les autres. La villa de cinquante-huit chambres et trente-trois salles de bains équipées de robinetterie plaquée or, avec son salon de cent soixante-dix mètres carrés et ses plafonds de douze mètres de haut, était aussi clinquante et inconfortable que je l'imaginais.

Au dîner ce soir-là, il n'y avait que Donald, Marla et moi. Je l'avais croisée deux ou trois fois mais nous n'avions jamais eu l'occasion de nous rencontrer en tête à tête. Je l'ai trouvée chaleureuse, et Donald semblait détendu avec elle. Elle n'avait que deux ans de plus que moi, et elle était aussi différente d'Ivana qu'il était possible de l'être. Marla avait les pieds sur terre, parlait d'une voix douce, alors qu'Ivana n'était que strass, arrogance et méchanceté.

Le lendemain, j'ai passé la matinée à explorer le domaine. J'étais la seule invitée, si bien que la maison paraissait vide et étrangement silencieuse. J'ai parlé au majordome pour voir s'il avait des anecdotes intéressantes, j'ai fait connaissance avec quelques-uns des autres employés, puis je me suis baignée en vitesse avant le repas, prévu à treize heures. Si imposant que

Mar-a-Lago ait pu être par certains côtés, c'était aussi beaucoup plus relax que nos lieux de réunions de famille habituels, au point que je me suis sentie suffisamment à l'aise pour venir déjeuner sur le patio en maillot et en short.

Alors que j'approchais, Donald, qui était en tenue de golf, m'a regardée comme s'il me voyait pour la première fois.

« La vache, Mary, t'as de ces nichons !

– Donald ! » s'est exclamée Marla avec une horreur feinte, en lui donnant une petite tape sur le bras.

J'avais vingt-neuf ans et je n'étais pas spécialement prude, mais j'ai rougi, soudain gênée. J'ai drapé ma serviette sur mes épaules. Je me suis alors rendu compte qu'à part mes parents et mon frère, personne dans ma famille ne m'avait jamais vue en maillot de bain. Hélas pour le livre, ce fut à peu près la seule chose intéressante qui se passa de tout mon séjour à Palm Beach.

De retour à New York, Donald finit par se lasser que je lui réclame une interview et me tendit une liste de noms. « Parle à ces gens. » Il y avait parmi eux les présidents de ses casinos et le mari de Maryanne, John. Même si c'était potentiellement utile, il n'avait pas l'air de réaliser qu'écrire ce livre sans aucune contribution de sa part serait à peu près impossible.

J'ai rencontré un par un les présidents des casinos. Sans surprise, la plupart de leurs réponses étaient totalement formatées et j'ai compris qu'ils n'allaient pas me fournir de ragots sur ce qui se passait dans les affaires de leur boss alors que c'était le summum du chaos et des dysfonctionnements. Mais ces expéditions ne furent pas qu'une perte de temps ; je n'étais jamais allée à Atlantic City, et j'ai au moins pu sentir l'ambiance générale.

Mon rendez-vous avec John Barry s'avéra encore moins productif.

« Qu'est-ce que tu peux me raconter ? » lui demandai-je.

Il se contenta de rouler les yeux.

Au bout d'un moment, Donald m'informa que son éditeur souhaitait me rencontrer. Un déjeuner fut organisé, auquel j'arrivai en pensant que nous allions discuter des prochaines étapes. C'était dans un restaurant cher et branché du quartier de Midtown, et nous étions assis en tête à tête à une petite table étriquée près des cuisines.

Quasiment sans préambule, l'éditeur m'annonça que la maison Random House voulait que Donald engage quelqu'un de plus expérimenté.

« Je travaille dessus depuis un moment, me défendis-je, et je pense que j'ai bien avancé. Le problème, c'est que je n'arrive pas à coincer Donald pour une interview.

— On ne peut pas espérer jouer un concerto de Mozart la première fois qu'on s'assied derrière un piano, me répondit l'éditeur, comme si je venais d'apprendre l'alphabet la veille.

— Donald m'a dit qu'il était content de ce que j'avais fait jusque-là. »

L'éditeur me dévisagea un moment.

« Donald n'en a pas lu une ligne », rétorqua-t-il.

Je suis retournée au bureau le lendemain pour récupérer mes affaires et déposer tout ce qui pourrait être utile à mon éventuel remplaçant. Je n'étais pas fâchée ; pas même que Donald ait eu recours à quelqu'un d'autre pour me virer. Le projet était dans l'impasse. Et puis, après tout le temps que j'avais passé dans son bureau, je n'avais toujours pas la moindre idée de ce qu'il faisait réellement.

10

La nuit ne tombe jamais d'un coup

Nous étions à Mar a Lago, à la même table que celle où j'avais déjeuné avec Donald et Marla deux ans plus tôt. La famille avait pris l'habitude de s'y réunir pour le week-end de Pâques. Mon grand-père s'est tourné vers ma grand-mère, m'a montrée du doigt, a souri et a demandé : « Qui est cette charmante demoiselle ? »

Puis il s'est tourné vers moi.

« Quelle charmante demoiselle !

– Merci, papi », ai-je répondu.

Gam avait l'air contrariée. Je lui ai dit de ne pas s'inquiéter. J'avais déjà vu des gens que mon grand-père connaissait depuis des dizaines d'années effacés de sa mémoire : les plus jeunes de ses petits-enfants, son chauffeur. Ce nouveau surnom dont il m'avait affublée lui resta, et il m'appela « charmante demoiselle » jusqu'à sa mort. Il le disait avec douceur et une apparente bienveillance ; il était devenu adorable avec moi depuis qu'il avait oublié qui j'étais.

« Allez, viens, p'pa. » Rob fit un pas en avant, mais mon grand-père ne bougea pas. Il balaya du regard la foule des invités de ce gala donné en l'honneur de sa femme et lui, et ses yeux se voilèrent d'un glacis de panique, comme si brusquement il n'avait plus aucune idée de qui étaient ces gens ni de ce qu'il faisait là. Jusqu'à cet instant, je n'avais jamais vu son visage exprimer que du mépris, de l'agacement, de la colère, de l'amusement ou de l'autosatisfaction. Cet air apeuré était nouveau et alarmant. La seule autre fois où il m'avait paru décontenancé était le jour où Donald l'avait emmené jouer au golf, un hobby auquel Donald consacrait un temps phénoménal mais dont Fred, qui n'appréciait pourtant guère les loisirs, ne lui fit jamais reproche. J'étais à la Maison quand ils étaient rentrés et j'avais failli ne pas le reconnaître. Ils étaient tous les deux en tenue de golf, mon grand-père en pantalon bleu clair, cardigan blanc et chaussures blanches. C'était la première fois que je le voyais autrement qu'en costume. Jamais il ne m'avait semblé si mal à l'aise.

Bientôt, il n'oublierait plus seulement où il avait mis les choses, un mot ou une conversation par-ci par-là, mais aussi les visages familiers. Vous pouviez mesurer la valeur que vous aviez à ses yeux par le temps où il se souvenait encore de vous. Je ne sais pas s'il se souvenait de mon père car de toute façon je ne l'avais pas entendu prononcer son nom une seule fois depuis qu'il était mort.

Maryanne avait fait en sorte que son fils David, qui

était devenu psychologue clinicien, accompagne mon grand-père à tous ses check-up médicaux et ses examens neurologiques dans un effort concerté pour graver son visage dans sa mémoire, mais il ne fallut pas longtemps avant que Fred ne désigne plus David que comme « le docteur ».

Un jour que j'étais avec Maryanne et mon grand-père autour de la piscine à Mar-a-Lago, il me montra du doigt en disant à sa fille : « Tu as vu cette charmante demoiselle ? » Environ une année s'était écoulée depuis la première fois qu'il m'avait donné ce sobriquet.

« Oui, papa », répondit Maryanne avec un sourire las.

Alors il la dévisagea attentivement et, dans une sorte d'esprit d'escalier, il ajouta : « Qui êtes-vous ? »

Les yeux de Maryanne s'emplirent de larmes, comme si elle venait de recevoir une gifle.

« Papa, dit-elle tendrement. Je suis Maryanne.

– OK, Maryanne. »

Il sourit, mais ce nom ne lui disait plus rien.

Jamais il n'oublia Donald.

Rob, qui avait quitté son poste de président du Trump Castle sous de mauvais auspices (après la sombre affaire des 3,15 millions de dollars en jetons), avait remplacé mon grand-père à la tête de Trump Management pendant son hospitalisation en 1991 et y était resté depuis. C'était un bon plan pour Robert. En plus des millions de dollars annuels qu'il touchait du simple fait d'être un des enfants de Fred, il était aussi payé un demi-million de dollars par an pour un travail qui requérait assez peu de compétences et d'efforts. C'était le job auquel Freddy puis Donald avaient été successivement destinés… et qu'ils avaient rejeté, chacun à sa façon.

Fred continuait à aller s'asseoir à son bureau tous les jours jusqu'à ce qu'il soit l'heure de rentrer, mais Rob était dans les faits, sinon officiellement, responsable de cette machine bien huilée et finalement assez autonome dont il parlait souvent comme d'une « poule aux œufs d'or ».

Mon grand-père était dans un mauvais jour. Nous étions presque tous dans la bibliothèque quand il descendit du premier étage, la moustache et les sourcils fraîchement teints, la perruque légèrement de guingois, mais impeccablement vêtu dans son costume trois-pièces.

La teinture et la perruque étaient des nouveautés récentes. Fred avait toujours tiré vanité de son apparence et déploré son début de calvitie. À présent, sa chevelure bien garnie lui donnait un air un peu hirsute. Personne ne trouvait à redire sur la perruque, mais la teinture suscitait une certaine consternation dans la famille, surtout quand il s'agissait de sortir en public. Mon grand-père laissait souvent poser trop longtemps les produits bon marché qu'il achetait en supermarché, conférant à sa moustache et ses sourcils une étonnante teinte magenta. Lorsqu'il nous rejoignit dans la bibliothèque, manifestement fier de ce qu'il avait fait, Gam s'exclama : « Oh non, Fred, par pitié !

– Bon sang, papa ! lui cria Donald.

– Putain… », souffla Rob dans sa barbe.

Maryanne lui posa une main sur le bras et dit : « Papa, tu ne dois pas refaire ça. »

Il était debout près de la causeuse quand je suis arrivée à mon tour.

« Bonjour, m'a-t-il lancé.

– Coucou, papi. Comment ça va ? »

Il m'a regardée et a sorti son portefeuille, si dodu de billets que j'étais toujours surprise qu'il tienne dans sa poche. Il avait à l'intérieur la photo d'une femme à moitié nue et, l'espace d'un instant, j'ai eu peur qu'il veuille me la montrer de nouveau, comme la fois où j'avais douze ans.

« Regarde-moi ça », m'avait-il dit en me tendant la photo.

Une femme très maquillée, qui ne pouvait pas avoir plus de dix-huit ans et peut-être moins, souriait d'un air innocent en tenant sa poitrine nue à pleines mains. Ne sachant pas quoi dire, je m'étais tournée vers Donald, qui regardait par-dessus l'épaule de mon grand-père, pour savoir comment réagir, mais ce dernier était trop occupé à se rincer l'œil.

« Qu'est-ce que t'en dis ? » avait gloussé mon grand-père.

Je ne l'avais jamais entendu rire. Je crois qu'il ne riait

jamais. En général, il exprimait son amusement par un « Ah ! » sonore suivi d'un ricanement.

Cette fois-ci, au lieu d'une photo, il sortit de son portefeuille un billet de cent dollars et me demanda : « Je peux t'acheter tes cheveux ? »

C'était une question qu'il me posait chaque fois qu'il me voyait quand j'étais enfant.

« Désolée, papi, mais j'en ai besoin », lui répondis-je en riant.

Elizabeth s'approcha avec une petite boîte dans une main. Elle prit mon grand-père par le bras et s'appuya sur son épaule. Il garda le regard fixé devant lui, hagard, se dégagea et quitta la pièce.

Peu après, Donald arriva avec ses enfants et le beau-fils de Rob. À l'exception d'Eric, c'étaient tous des adolescents, les garçons grands, joufflus, en costume. Donald alla s'asseoir sur le fauteuil près de la télé et Ivanka grimpa sur ses genoux. Les garçons commencèrent à se bagarrer. Donald observait la scène depuis son fauteuil en faisant des bisous à Ivanka ou en lui pinçant la joue. De temps en temps, il tendait la jambe pour donner un coup de pied à celui qui était au sol à ce moment-là. Quand ils étaient plus jeunes, Donald se battait avec eux… c'est-à-dire qu'en gros il les frappait, les jetait à terre et s'agenouillait sur eux jusqu'à ce qu'ils demandent grâce. Dès qu'ils étaient devenus assez grands pour se défendre sérieusement, il avait arrêté.

Quand Elizabeth et moi fûmes suffisamment loin de la mêlée, elle me tendit la boîte en disant : « C'est pour toi. »

Nous ne nous faisions jamais de cadeaux en dehors de Noël mais, curieuse, je pris la boîte et découvris en l'ouvrant une montre Timex vintage avec un petit cadran en inox et un bracelet vert olive.

« Quelqu'un te l'avait offerte une année pour Noël, m'expliqua Elizabeth, mais tu avais seulement dix ans et j'ai pensé que tu étais trop jeune pour avoir quelque chose d'aussi joli. Alors je l'ai prise. »

Sur ce, elle repartit s'occuper de son père.

Plus tard, je trouvai Donald et Rob en conciliabule dans la salle à manger, épaule contre épaule, tête baissée. Mon grand-père se tenait non loin, penché en avant, presque sur la pointe des pieds, pour essayer d'entendre ce qu'ils disaient.

« Donald, Donald », appela-t-il.

Comme Donald ne répondait pas, Fred le tira par la manche.

« Qu'est-ce qu'il y a, papa ? demanda Donald sans se retourner.

— Regarde ça, dit Fred en brandissant une page qu'il avait arrachée dans un magazine, une publicité pour une limousine similaire à celle qu'il possédait déjà.

— Eh ben ?

— Je peux en avoir une ? »

Donald prit la page et la tendit à Rob, qui la plia en deux et la posa sur la table.

« Bien sûr, p'pa », fit Rob.

Donald quitta la pièce. Malgré ce qui avait pu les lier par le passé, les fils survivants de Fred avaient cessé de faire semblant de s'intéresser à ce que leur père pensait ou voulait. Après avoir servi ses intérêts, Donald le considérait désormais avec mépris, comme s'il le tenait pour responsable de sa propre dégénérescence mentale. Dans la mesure où Fred avait eu la même attitude envers son fils aîné souffrant d'alcoolisme, cela n'avait rien de surprenant. Il était néanmoins choquant de le voir aussi ouvertement méprisant. À ma connaissance, non seulement Donald était le chouchou de son père, mais c'était même le seul de ses enfants que Fred semblait apprécier. Je savais que mon grand-père pouvait être cruel, mais je croyais que sa cruauté avait été principalement réservée à mon père, dont je pensais à l'époque, à ma grande honte, qu'il l'avait sans doute méritée. J'ignorais alors à quel point la vie à la Maison avait été dure et terrifiante du temps de la maladie de ma grand-mère. J'ignorais que Fred ne s'était occupé d'aucun de ses enfants pendant l'année d'absence de sa femme, et que Donald avait particulièrement souffert de cette négligence. Et que loin de soutenir et d'accompagner mon père alors qu'il se lançait dans la vie avec la sincère intention de réussir, Fred ne misait au fond que sur Donald, attendant qu'il soit en âge de lui être utile.

En 1994, je quittais mon appartement de l'Upper East Side pour m'installer à Garden City, une petite ville de Long Island à seulement un quart d'heure de voiture de la Maison. J'emmenais régulièrement Gam voir ses arrière-petits-enfants, le fils et la fille de mon frère, dans la Rolls-Royce rouge que mon grand-père lui avait offerte pour son anniversaire quelques années plus tôt. Derrière le grand volant en noyer, j'étais tellement haute que j'avais l'impression de pouvoir voir la courbure de la Terre. Parfois, Gam et moi passions les quarante-cinq minutes de route à discuter tranquillement, mais la plupart du temps elle était morose et taciturne. Ces jours-là, le trajet me paraissait interminable. Certaines fois, elle sentait très fort la vanille alors qu'elle n'avait pas cuisiné ; d'autres, je la voyais du coin de l'œil discrètement glisser une main dans son sac et se mettre quelque chose dans la bouche.

En général, quand je lui rendais visite, nous restions à papoter dans la bibliothèque. J'étais souvent là lorsque Maryanne lui passait son coup de fil quotidien pour prendre de ses nouvelles. Après avoir décroché, Gam couvrait le combiné d'une main et me disait : « C'est Maryanne », puis, à sa fille : « Devine qui est là... Mary. » Elle marquait une pause, sans doute pour laisser à Maryanne l'occasion de répondre quelque chose comme : « Passe-lui le bonjour de ma part », mais ce n'était jamais le cas.

Parfois, nous allions déjeuner dans un restaurant du quartier. Un de ceux qu'elle préférait était le Sly Fox Inn, un simple pub juste en face du supermarché sur le parking duquel elle s'était fait agresser. On ne parlait presque jamais de mon père, mais un jour elle avait l'air particulièrement nostalgique et elle s'est mise à me raconter ses frasques avec Billy Drake, et combien Freddy la faisait rire. Quand le serveur est venu débarrasser notre table, elle s'est tue. Comme il nous demandait si on voulait l'addition et qu'elle ne répondait pas, j'ai hoché la tête.

« Mary, a-t-elle murmuré, il était tellement malade.

– Je sais, Gam, ai-je répondu en supposant qu'elle parlait de son alcoolisme.

– Je ne savais pas quoi faire. »

Croyant qu'elle allait pleurer, je lui ai dit, bêtement : « Ce n'est pas grave, Gam.

– Les dernières semaines... il ne pouvait plus se lever.

– Le jour où je suis venue..., ai-je commencé avant d'être interrompue par le serveur qui nous apportait l'addition. Pourquoi il n'est pas allé chez le médecin ? S'il était si malade que ça ?

– Il s'en est tellement voulu quand il a su que tu étais passée le voir. »

J'ai attendu qu'elle dise autre chose, mais elle a ouvert son sac pour régler l'addition. C'était toujours elle qui payait. Je l'ai ramenée à la maison en silence.

En 1987, j'avais passé mon année de licence en Allemagne, un pays avec lequel je n'avais pas spécialement d'affinités, mais j'avais pensé que ça ferait plaisir à mon grand-père puisque c'était la terre natale de ses parents (je m'étais trompée). Ayant prévu de rentrer pour Noël, j'avais appelé mes grands-parents afin de savoir si je pourrais loger chez eux.

J'étais à la cabine téléphonique dans le hall de ma

résidence universitaire, avec une poignée de pièces de cinq marks.

« Bonjour, papi, c'est Mary, avais-je dit quand il avait décroché.

— Oui », m'avait-il répondu.

Je lui avais exposé la raison de mon appel.

« Pourquoi tu ne dors pas chez ta mère ? m'avait-il demandé.

— Je suis allergique aux chats et j'ai peur de faire une crise d'asthme.

Eh bien, dis-lui de se débarrasser de ses chats. »

C'était nettement plus facile d'être la « charmante demoiselle » à présent.

J'ai pu me rendre compte par moi-même à quel point vivre avec mon grand-père était devenu difficile pour Gam. Il avait commencé par avoir des comportements bizarres sur des petites choses, par exemple il lui cachait son chéquier. Quand elle lui demandait pourquoi, il l'accusait de vouloir le ruiner. Et quand elle essayait de le raisonner, il se mettait dans des colères folles qui la laissaient tremblante, apeurée. Il s'inquiétait constamment pour l'argent, terrifié que sa fortune s'évapore. Mon grand-père n'avait jamais été pauvre un seul jour de sa vie, mais la pauvreté était devenue son unique préoccupation ; cette perspective le hantait.

Ses humeurs finirent par se stabiliser, et pour Gam le problème devint la répétition. Quand il rentrait du bureau le soir, il montait se changer, puis redescendait souvent vêtu d'une chemise et d'une cravate propres mais sans pantalon ; juste un caleçon, des chaussettes et ses chaussures de soirée.

« Alors, comment va tout le monde ? Ça va ? Bon. Bonne nuit, cocotte », disait-il avant de remonter... pour redescendre quelques minutes après.

Un soir que ma grand-mère et moi étions dans la bibliothèque, il arriva et demanda : « Alors, cocotte, qu'est-ce qu'il y a pour dîner ? »

Elle lui répondit et il repartit. Quelques instants plus tard, il revint.

« Qu'est-ce qu'il y a pour dîner ? »

Elle lui répondit à nouveau. Il repartit et revint dix, douze, quinze fois. Avec une patience qui s'amenuisait, elle lui répondait chaque fois : « Du rôti et des pommes de terre. »

Au bout d'un moment, elle finit par exploser : « Bon sang, Fred, arrête ! Je te l'ai déjà dit !

– D'accord, d'accord, cocotte, fit-il avec un rire nerveux en rebondissant sur la pointe des pieds, les mains levées en position défensive. Bon, ben voilà », ajouta-t-il en coinçant les pouces derrière ses bretelles comme si nous venions de terminer une conversation.

Ses gestes étaient les mêmes que d'habitude, mais l'éclat dans ses yeux s'était émoussé jusqu'à devenir inoffensif.

Il quitta la pièce... et revint quelques minutes plus tard en demandant : « Qu'est-ce qu'il y a pour dîner ? »

Gam m'entraîna sur la terrasse, un carré de ciment peu attrayant sur le côté de la Maison qui, à une époque,

servait pour les barbecues familiaux. Cela faisait si longtemps qu'on ne l'utilisait plus que j'oubliais souvent son
existence.

« Je te jure, Mary, me dit-elle, il va me rendre folle. »

Les chaises qui avaient été abandonnées dehors étaient
tellement jonchées de feuilles mortes et de brindilles que
nous sommes restées debout.

« Il faut que tu te fasses aider, ai-je répondu. Tu devrais
voir quelqu'un.

– Je ne peux pas le laisser. »

Elle était au bord des larmes.

« J'aurais aimé retourner chez moi encore une fois »,
m'avait-elle confié un jour avec mélancolie.

Je ne comprenais pas ce qui l'empêchait de retourner
en Écosse, mais elle refusait catégoriquement de faire quoi
que ce soit qui puisse paraître égoïste.

Les week-ends, quand ils n'étaient pas à Mar-a-Lago,
mes grands-parents allaient dans la maison de campagne
d'un de leurs autres enfants : celle de Robert à Millbrook,
au nord de New York ; celle d'Elizabeth à Southampton ; ou celle de Maryanne à Sparta, dans le New Jersey. En général ils prévoyaient d'y passer la nuit, et ma
grand-mère se réjouissait à la perspective d'un week-end
tranquille et reposant avec d'autres gens. Mais dès qu'ils
arrivaient, mon grand-père demandait à rentrer. Et il ne
lâchait pas jusqu'à ce que Gam cède et qu'ils remontent
dans la voiture. Ces escapades d'un week-end (ou même
d'une journée) étaient censées soulager ma grand-mère,
une occasion pour elle de sortir de la Maison et d'avoir

de la compagnie. Mais elles finirent par devenir une nouvelle forme de torture. Comme tant d'autres choses absurdes dans la famille, ils continuèrent pourtant à s'y astreindre.

Gam était de nouveau hospitalisée. Je ne me rappelle plus ce qu'elle s'était cassé, mais après sa sortie elle avait le choix entre un centre de rééducation ou des séances de kiné à domicile. Elle opta pour le centre de rééducation.

« Tout pour éviter de retourner à la Maison », me dit-elle.

C'était mieux comme ça. Après son agression, elle avait dû dormir pendant des semaines dans un lit d'hôpital installé dans la bibliothèque. Mon grand-père, qui s'était très bien remis de son opération de la hanche, n'avait jamais pour elle un mot de commisération ou de réconfort.

« Tout va très bien. Pas vrai, cocotte ? » se contentait-il de répéter à l'envi.

En 1998, pour la première fois, nous avons célébré la fête des Pères chez Donald, dans son appartement de la Trump Tower. C'était devenu trop difficile pour mon grand-père d'apparaître en public, si bien qu'il n'était pas question de maintenir notre traditionnel dîner à la Peter Luger Steak House à Brooklyn. Nous avions l'habitude d'y aller en famille deux fois par an, pour la fête des Pères et pour l'anniversaire de mon grand-père.

Peter Luger était un restaurant très étrange aux prix

exorbitants, où l'on payait plus cher qu'ailleurs pour un service exécrable et où l'on ne pouvait régler qu'en espèces, en chèque ou avec la carte de crédit Peter Luger (que mon grand-père possédait). Le menu était limité et, que vous les ayez commandées ou pas, arrivaient d'énormes assiettes de tomates et d'oignons en tranches, accompagnées de minuscules bols de pommes paillasson et d'épinards à la crème auxquels en général personne ne touchait. De gigantesques pièces de bœuf étaient servies sur des plateaux, piquées de petites vaches en plastique de différentes couleurs allant du rouge au rose selon le degré de cuisson. La plupart d'entre nous buvions du Coca, là-bas exclusivement sous forme de petites bouteilles en verre. Si bien qu'à cause du service légendairement nul, à la fin de la soirée la table était jonchée des restes de deux carcasses de bœuf, de dizaines de bouteilles de Coca et d'assiettes pleines de légumes que personne dans ma famille ne mangeait jamais.

Le repas n'était pas terminé tant que mon grand-père n'avait pas sucé toute la moelle des os, ce qui, vu sa moustache, était un spectacle qui valait le détour.

Depuis que j'avais arrêté de manger de la viande pendant mes années de fac, les dîners au Peter Luger étaient devenus une épreuve. Commander du saumon fut une piètre alternative : il prenait la moitié de la table et avait aussi bon goût qu'on pouvait s'y attendre dans un restaurant de viande. Après cette mauvaise idée, je me suis contentée du Coca, des pommes de terre et d'une salade verte au roquefort.

Cette année-là, chez Donald, si je ne regrettais pas les serveurs acariâtres, j'espérais qu'il y aurait au moins quelque chose à manger pour moi.

Je commis l'erreur d'arriver en avance et seule. Même si Donald et Marla étaient encore mariés, cette dernière n'était déjà plus qu'un lointain souvenir, remplacée par sa nouvelle conquête, Melania, une mannequin slovène de vingt-huit ans que je n'avais encore jamais croisée. Ils étaient installés sur une causeuse qui semblait particulièrement inconfortable, dans le vestibule, vaste espace indéterminé. Tout n'était que marbre, feuille d'or, murs de miroirs et fresques. Je ne sais pas comment c'est possible, mais l'appartement de Donald paraissait encore plus froid et impersonnel que la Maison.

Melania avait cinq ans de moins que moi. Elle était assise légèrement de biais, à côté de Donald, les chevilles croisées. Je fus frappée de voir combien elle avait l'air lisse. Après que Robert et Blaine l'avaient rencontrée pour la première fois, Rob m'avait dit qu'elle avait à peine décroché un mot de tout le repas.

« Peut-être qu'elle ne parle pas très bien anglais, avais-je suggéré.

— Non, avait-il ricané. Elle sait pour quoi elle est là. »

Clairement, ce n'était pas pour sa brillante conversation.

J'étais à peine assise que Donald commença à raconter à Melania la fois où il m'avait embauchée pour écrire *The*

Art of the Comeback, puis il se lança dans sa version de ma propre histoire de rédemption. Il pensait que c'était une chose qu'on avait en commun, lui et moi : nous avions tous les deux touché le fond puis miraculeusement réussi à nous hisser de nouveau jusqu'au sommet (dans son cas) ou juste hors de l'abîme (dans le mien).

« Tu as carrément lâché tes études, non ?

– Oui, Donald, en effet. »

C'était exactement comme ça que j'avais envie d'être présentée à quelqu'un que je ne connaissais pas. J'étais d'ailleurs surprise qu'il soit au courant.

« Ça a été vraiment la cata pendant une moment... et ensuite elle a commencé à prendre de la drogue.

– Holà ! ai-je dit en levant les deux mains.

– Ah bon ? a fait Melania, brusquement intéressée.

– Non, non, non. Je n'ai jamais pris de drogue de ma vie. »

Il m'a lancé un clin d'œil en souriant. Il enjolivait l'histoire pour qu'elle ait plus d'effet, et il savait que je le savais.

« C'était un désastre ambulant », a-t-il renchéri avec un sourire encore plus large.

Donald adorait les histoires de come-back, et il ne lui avait pas échappé que plus le gouffre dont vous vous étiez sorti était profond, plus votre retour serait triomphal. Ce qui était précisément la façon dont il voyait son propre parcours. En rapprochant le fait que j'aie arrêté mes études et qu'il m'ait ensuite engagée pour écrire son livre (tout en y ajoutant une touche fictive de toxicomanie), il concoctait une histoire plus alléchante, dans laquelle il s'attribuait au passage le rôle du sauveur. En réalité, entre le moment où j'avais arrêté la fac et celui où il m'avait recrutée, j'avais repris mes études et obtenu un master, le tout sans jamais prendre de drogue. Mais ça ne servait à rien de vouloir rétablir la vérité ; avec lui, ça ne servait jamais à rien. Il racontait les histoires autant pour lui-même que pour les autres et, lorsque la sonnette retentit, il s'était sans doute déjà convaincu de sa propre version. Quand nous nous levâmes tous les trois pour accueillir les nouveaux arrivants, je m'aperçus que Melania n'avait prononcé que deux mots durant toute la conversation.

Le 11 juin 1999, mon frère me téléphona pour me prévenir que notre grand-père avait été transporté au Jewish Medical Center de Long Island, un autre hôpital du Queens que mes grands-parents avaient fréquenté au cours des dernières années. Il m'avertit que c'était sans doute la fin.

J'ai sauté dans la voiture pour faire les dix minutes de trajet depuis chez moi et, quand je suis arrivée, la chambre était déjà pleine. Gam était assise dans l'unique fauteuil près du lit ; Elizabeth, debout à côté d'elle, tenait la main de mon grand-père.

Après avoir salué tout le monde, je suis restée près de la fenêtre avec la femme de Robert, Blaine.

« On était censés être à Londres avec le prince Charles », a-t-elle dit.

Je me suis rendu compte que c'était à moi qu'elle parlait... ce qui lui arrivait rarement.

« Ah, ai-je fait.

— Il nous avait invités à un match de polo. Je n'arrive pas à croire qu'on ait dû annuler. »

Elle avait l'air exaspérée et ne faisait aucun effort pour baisser la voix.

J'aurais eu encore mieux à raconter. Une semaine plus tard, je devais me marier sur une plage à Hawaï. Personne de la famille n'était au courant : ils ne s'étaient jamais intéressés à ma vie privée (au besoin, je demandais à un ami de jouer mon cavalier dans les occasions familiales qui nécessitaient d'être accompagnée) et ne me posaient jamais aucune question sur mes petits copains ou mes histoires d'amour.

Deux ans plus tôt, alors que Gam et moi discutions des funérailles de la princesse Diana, elle s'était exclamée avec véhémence : « C'est une honte qu'ils laissent cette tapette d'Elton John chanter à la cérémonie. » J'avais alors décidé qu'il valait mieux ne pas lui dire que je vivais et que j'étais fiancée avec une femme.

En constatant la gravité de l'état dans lequel se trouvait mon grand-père, j'eus le terrible pressentiment qu'en rentrant chez moi j'allais devoir annoncer à ma compagne qu'après des mois de préparatifs et d'obstacles logistiques cauchemardesques à surmonter, il allait falloir reporter à une date ultérieure notre mariage ultra secret.

Tout à coup, le silence se fit dans la pièce, comme si tout le monde avait fini sa conversation en même temps.

Le seul bruit était désormais la respiration entrecoupée de mon grand-père : une inspiration rauque, hésitante, suivie d'une pause anormalement et dangereusement longue jusqu'à ce qu'enfin il laisse échapper une expiration.

11

L'argent pour unique valeur

Fred Trump s'éteignit le 25 juin 1999. Le lendemain, sa nécrologie parut dans le *New York Times* sous le titre « FRED C. TRUMP, BÂTISSEUR DE LOGEMENTS POUR LA CLASSE MOYENNE, MEURT À 93 ANS ». L'auteur soulignait le contraste entre le statut de « self-made-man » de Fred et son « flamboyant fils Donald ». La manie qu'avait mon grand-père de ramasser les clous non utilisés sur ses chantiers pour les rendre à ses ouvriers le lendemain était mentionnée avant les détails de sa naissance. Le *Times* se faisait par ailleurs l'écho de la légende familiale selon laquelle Donald avait bâti son propre empire avec une aide minimale de mon grand-père – « une petite somme d'argent » –, affirmation que le même journal réfuterait vingt ans plus tard.

Nous étions assis dans la bibliothèque, chacun avec son exemplaire du *Times*. Robert se faisait éreinter par ses frère et sœurs pour avoir raconté au journaliste que le patrimoine de mon grand-père valait entre 250 et 300 millions de dollars. « Ne jamais, jamais leur donner les chiffres », le sermonnait Maryanne, comme si elle s'adressait à un enfant attardé. Il se tenait là, penaud, à se faire craquer les doigts en se balançant sur la pointe des pieds, de la même façon que mon grand-père. On aurait dit qu'il imaginait soudain la facture qu'il aurait à payer aux impôts. C'était pourtant une estimation ridiculement basse – nous finirions par apprendre que l'empire valait sans doute quatre fois ça –, mais Maryanne et Donald ne voulaient même pas admettre ce chiffre au rabais.

Plus tard, nous nous sommes retrouvés dans la Madison Room de la maison funéraire Frank E. Campbell dans le quartier de l'Upper East Side, l'entreprise de pompes funèbres la plus sélect et la plus onéreuse de Manhattan, à sourire et à serrer des mains alors que défilait devant nous une procession interminable de visiteurs.

Il y eut au total plus de huit cents personnes. Certaines étaient venues présenter leurs condoléances, dont des promoteurs immobiliers concurrents comme Sam LeFrak, le gouverneur de New York George Pataki, l'ancien sénateur Al D'Amato et l'animatrice de télé et future participante à l'émission *The Celebrity Apprentice* Joan Rivers. Les autres étaient sans doute là pour tenter d'apercevoir Donald.

Le jour des funérailles, la collégiale Marble était pleine à craquer. Pendant la cérémonie, du début à la fin, chacun avait un rôle à jouer. Tout était extrêmement bien orchestré. Elizabeth lut le « poème préféré » de mon grand-père, les autres enfants prononcèrent des oraisons funèbres, ainsi que mon frère, qui s'exprimait au nom de notre père, et enfin mon cousin David, au nom de tous les petits-enfants. Ils racontèrent surtout des anecdotes au sujet de mon grand-père, même si mon frère fut le seul qui parvint un tant soit peu à l'humaniser. Sinon, pour l'essentiel, de façon directe ou indirecte, l'emphase était mise sur la réussite matérielle de Fred, son instinct de *killer* et son talent pour les économies de bouts de chandelle. Seul Donald ne suivit pas ce schéma et se lança dans un hymne embarrassant à sa propre gloire. C'était tellement gênant qu'après ça Maryanne donna pour consigne à son fils de ne laisser aucun de ses frères et sœur parler à son enterrement.

Rudolph Giuliani, alors maire de New York, prit aussi la parole.

Quand la cérémonie fut terminée, les six petits-enfants (sans Tiffany, trop jeune) accompagnèrent le cercueil jusqu'au fourgon mortuaire en tant que porteurs honorifiques, ce qui signifiait, comme souvent dans notre famille, que d'autres faisaient le vrai boulot pendant que nous en récoltions le mérite.

Toutes les rues jusqu'au tunnel de Midtown avaient été fermées aux voitures comme aux piétons, si bien que notre cortège, escorté par la police, sortit facilement de Manhattan pour rejoindre le cimetière All Faiths à Middle Village, dans le Queens, où l'enterrement devait avoir lieu.

Le retour fut tout aussi rapide, bien qu'avec moins de fanfare, pour un déjeuner dans l'appartement de Donald, après lequel j'ai raccompagné ma grand-mère à la Maison. Nous avons passé un moment à bavarder dans la bibliothèque. Elle avait l'air fatiguée mais soulagée. La journée avait été longue ; les dernières années avaient été longues, à vrai dire. À part la gouvernante, qui dormait à l'étage, nous n'étions que toutes les deux. Normalement, j'aurais dû être en voyage de noces. Je suis restée avec elle jusqu'à ce qu'elle ait sommeil.

Quand elle a voulu monter se coucher, je lui ai demandé si elle préférait que je dorme là, ou si elle avait besoin de quoi que ce soit avant que je parte.

« Non, ma chérie, ça va. »

Je me suis penchée pour l'embrasser sur la joue. Elle sentait la vanille.

« Tu es ma personne préférée », lui ai-je dit.

Ce n'était pas vrai, mais je le lui ai dit parce que je l'aimais. Et aussi parce que personne d'autre ne s'était donné la peine de rester avec elle alors qu'on venait de mettre en terre l'homme auquel elle était mariée depuis soixante-trois ans.

« Tant mieux, m'a-t-elle répondu, c'est bien normal. »

Alors je l'ai laissée seule dans cette grande maison vide et silencieuse.

Deux semaines après l'enterrement, j'étais chez moi quand une camionnette DHL m'a livré une enveloppe jaune contenant une copie du testament de mon grand-père. J'ai dû le relire deux fois pour être sûre que je n'avais pas mal vu. J'avais promis à mon frère de l'appeler dès que j'aurais des nouvelles, mais à présent j'hésitais. Le troisième enfant de Fritz et Lisa, William, était né quelques heures après les funérailles. Le lendemain, il avait commencé à avoir des convulsions, et depuis il était dans un service néonatal de soins intensifs. Ils avaient deux jeunes enfants à la maison, et Fritz travaillait. Je ne savais pas comment ils arrivaient à tenir le coup.

Je n'avais pas très envie d'ajouter aux mauvaises nouvelles, mais il fallait qu'il sache.

Je l'ai appelé.

« Alors, verdict ? m'a-t-il demandé.

– Rien, ai-je dit. On n'a rien. »

Quelques jours après, j'ai reçu un coup de fil de Rob. Dans mon souvenir, les seules fois où il m'avait appelée, c'était pour m'annoncer que Gam était à l'hôpital. Il fit comme si de rien n'était. Si je signais le testament, me laissa-t-il entendre, tout irait à merveille. Et il avait besoin de ma signature pour que le testament puisse être homologué. Même s'il est vrai que mon grand-père nous avait déshérités, mon frère et moi – c'est-à-dire qu'au lieu de partager entre nous deux les vingt pour cent de l'héritage qui auraient dû revenir à mon père, il les avait répartis à parts égales entre ses quatre autres enfants –, nous étions néanmoins inclus dans un legs fait séparément à tous ses petits-enfants ; un montant qui s'avéra représenter moins de 0,1 pour cent de ce que mes oncles et tantes avaient reçu. Au regard du montant global de l'héritage, c'était une toute petite somme d'argent, et Robert devait être fou de rage qu'elle puisse nous donner à Fritz et à moi le pouvoir de bloquer le reste de la distribution.

Les jours passaient et je ne pouvais me résoudre à

signer. Par l'ampleur et la concision de sa cruauté, ce testament était un document stupéfiant, qui ressemblait beaucoup au jugement de divorce de mes parents.

Pendant un moment, Robert m'appela tous les jours. Maryanne et Donald l'avaient désigné comme personne contact. Donald n'avait pas envie de se déranger, et on venait de diagnostiquer à John, le mari de Maryanne, un cancer de l'œsophage dont le pronostic n'était pas bon.

« Encaisse tes gains, choupette », me répétait constamment Rob, comme si cela pourrait me faire oublier ce qu'il y avait dans le testament.

Mais il avait beau me marteler ça en boucle, mon frère et moi étions convenus de ne rien signer avant de savoir quels autres choix nous avions.

Finalement, Rob a perdu patience. Fritz et moi bloquions tout ; le testament ne pouvait être homologué tant que l'ensemble des bénéficiaires n'avaient pas signé. Lorsque j'ai expliqué à Rob que nous n'étions pas encore décidés, il m'a proposé qu'on se voie pour en discuter.

Au cours de notre premier rendez-vous, quand nous lui avons demandé pourquoi son père avait fait ça, voilà ce que Rob a répondu :

« Écoutez, votre grand-père se foutait complètement de vous. Pas juste de vous deux, il se foutait de tous ses petits-enfants.

— On est encore plus mal traités que les autres parce que notre père est mort, ai-je rétorqué.

— Non, pas du tout. »

Quand nous avons objecté que nos cousins et cousines

bénéficieraient à terme de ce qu'allaient recevoir leurs parents, Rob a ajouté :

« N'importe lequel d'entre eux pourrait être déshérité à tout moment. Donny s'était mis en tête d'entrer dans l'armée ou je ne sais quelle connerie de ce genre, et Donald et Ivana lui ont dit que s'il faisait ça, ils le déshériteraient dans la seconde.

— Papa n'a pas eu ce luxe-là », ai-je fait remarquer.

Rob s'est reculé contre le dossier de sa chaise. J'ai vu qu'il essayait de trouver une meilleure formulation.

« C'est assez simple, a-t-il résumé. Pour votre grand-père, quand on est mort, on est mort. Les seuls enfants qui l'intéressaient, c'étaient ceux qui étaient en vie. »

J'allais arguer que mon grand-père ne s'était pas non plus intéressé à Rob, mais Fritz est intervenu.

« Rob, a-t-il dit, c'est tout simplement injuste. »

J'ai perdu le compte du nombre de réunions que nous avons tenues tous les trois entre juillet et octobre 1999. Il y a eu un bref répit en septembre pendant que j'étais à Hawaï pour mon mariage et ma lune de miel à retardement.

Dès le début de nos discussions, Fritz, Robert et moi avions résolu d'un commun accord de laisser Gam en dehors de tout ça. Je supposais qu'elle n'avait aucune idée de ce que le testament de mon grand-père prévoyait pour nous et je ne voyais pas de raison de la contrarier. Avec un peu de chance, nous allions tout résoudre et elle n'aurait jamais besoin de savoir qu'il y avait eu le moindre problème. Je lui ai téléphoné tous les jours pendant mon absence et, une fois de retour à New York, j'ai repris mes visites. Les négociations, si tant est qu'on puisse appeler ça comme ça, reprirent elles aussi. Il y avait une monotonie épuisante dans nos discussions. Quoi que Fritz et moi disions, Rob nous ressortait toujours les mêmes clichés et les mêmes réponses toutes faites. Nous restions au point mort.

Je l'ai interrogé au sujet de Midland Associates, la société de gestion que mon grand-père avait créée des décennies plus tôt au profit de ses enfants pour contourner certains impôts. Midland était propriétaire d'un groupe de plusieurs immeubles (dont les Sunnyside Towers et le Highlander) qu'on désignait dans la famille comme « le mini-empire ». Je ne savais pas grand-chose dessus – aucun de mes curateurs ne m'avait jamais expliqué quel rôle jouait Midland Associates ni de quelle façon elle générait de l'argent –, mais je recevais des chèques de temps en temps. Fritz et moi voulions savoir si et comment la mort de mon grand-père affecterait l'avenir de cette société.

Nous ne demandions pas une somme précise en dollars ni un pourcentage de l'héritage, juste l'assurance que les biens que nous avions déjà reçus nous resteraient acquis et si, étant donné l'immense fortune familiale, il y avait quoi que ce soit qu'ils étaient disposés à faire concernant le reste de la succession. En tant qu'exécuteurs testamentaires – et, avec Elizabeth, uniques ayants droit –,

Maryanne, Donald et Robert avaient toute latitude en la matière, mais Rob demeurait évasif.

Lors de notre dernière entrevue, au bar de l'hôtel Drake à l'angle de la 56ᵉ Rue et de Park Avenue, Robert avait clairement compris que nous ne reculerions pas. Jusque-là, malgré les choses désagréables qu'il nous avait dites, il avait maintenu une attitude affable du genre « Hé, les gars, je ne fais que passer le message ». Ce jour-là, il nous a rappelé une fois de plus que notre grand-père détestait notre mère et craignait que son argent ne tombe entre ses mains.

Quelle blague. Pendant plus de vingt-cinq ans ma mère avait vécu selon les termes que les Trump lui avaient imposés, en suivant leurs instructions à la lettre. Elle était restée dans le même appartement mal entretenu de Jamaica, sa pension alimentaire n'avait presque pas été augmentée, pourtant elle n'avait jamais réclamé davantage.

Au fond, Fred nous avait déshérités parce qu'il en avait eu la possibilité. Les gens censés nous protéger, du moins financièrement, étaient nos curateurs – Maryanne, Donald, Robert et Irwin Durben –, mais apparemment ils n'avaient aucune intention de le faire, surtout si c'était à leurs dépens.

À un moment, Rob s'est penché en avant, brusquement sérieux.

« Écoutez, si vous ne signez pas ce testament, si vous pensez nous attaquer en justice, on mettra Midland Associates en faillite et vous devrez payer des impôts sur de l'argent que vous n'avez pas pour le restant de vos jours. »

Après ça, il n'y avait plus rien à dire. Soit Fritz et moi cédions, soit nous nous battions. Aucune de ces deux options n'était bonne.

Nous avons consulté Irwin, qui nous apparaissait comme notre dernier allié. Il était ulcéré de la façon dont notre grand-père nous avait traités dans son testament. Quand nous lui avons rapporté ce que Robert nous avait répondu à propos de Midland Associates et de notre part dans les autres entités Trump, il nous a dit :

« Rien que votre part dans le bail à construction de Shore Heaven et de Beach Haven vaut une petite fortune. S'ils refusent de faire un geste, vous allez devoir les attaquer. »

Je n'avais pas la moindre idée de ce qu'était un bail à construction, et encore moins que j'avais une part dans deux d'entre eux, mais je savais ce que signifiait « une petite fortune ». Et j'avais confiance en Irwin. Sur ses conseils, Fritz et moi avons alors pris notre décision.

Après tous ces mois, William était toujours à l'hôpital, et Fritz et Lisa se sentaient au bout du rouleau. J'ai proposé à mon frère de m'en occuper, et j'ai appelé Rob l'après-midi même.

« Vous ne pouvez vraiment rien faire, Rob ? ai-je demandé une fois de plus.

– Signez, et on verra.

– Sérieusement ?

– Votre père est mort.

272

— Je *sais* qu'il est mort, Rob, mais nous, nous sommes vivants. »

J'en avais plus que marre de cette conversation.

Il a marqué une pause.

« Maryanne, Donald et moi ne faisons que suivre les volontés de papa. Ton grand-père ne souhaitait pas que Fritz ou toi, et encore moins votre mère, obteniez quoi que ce soit.

— Tout ça ne mène nulle part, ai-je soupiré. Fritz et moi allons prendre un avocat. »

Comme si j'avais appuyé sur un bouton, Robert s'est alors écrié : « Faites comme vous voulez, bordel ! », et il m'a raccroché au nez.

Le lendemain, j'avais un message de Gam sur mon répondeur en rentrant chez moi.

« Mary, c'est ta grand-mère », disait-elle sèchement.

Elle ne se désignait jamais comme ça ; c'était toujours « Gam ».

Je l'ai rappelée aussitôt.

« Ton oncle Robert me dit que ton frère et toi allez les attaquer pour obtenir vingt pour cent de l'héritage de votre grand-père. »

Prise de court, je n'ai rien pu répondre sur le moment. À l'évidence, Rob avait trahi notre accord et raconté à ma grand-mère sa version des faits. Mais ce qui m'arrêtait, c'était aussi que Gam avait l'air de trouver anormal et déplacé le simple fait que nous demandions à récupérer la part d'héritage qui aurait dû revenir à notre père. J'étais perdue. Je ne savais plus quoi penser sur la loyauté, sur l'amour, sur les limites de ces sentiments. J'avais cru faire partie de cette famille. Je m'étais trompée.

« Gam, on n'a rien demandé du tout. Je ne sais pas ce que t'a raconté Rob, mais on n'attaque personne.

– J'espère bien.

– On essaie juste d'y voir un peu plus clair dans tout ça.

– Tu sais ce que valait ton père quand il est mort ? m'a-t-elle rétorqué. Zéro. Moins que rien. »

Il y a eu un silence, puis un clic. Elle m'avait raccroché au nez.

12

La débâcle

Je suis restée immobile, le combiné à la main, sans savoir quoi faire. C'était un de ces moments qui changent tout – aussi bien ce qui a précédé que ce qui va suivre –, et j'avais du mal à en prendre la mesure.

J'ai téléphoné à mon frère et, dès que j'ai entendu sa voix, j'ai fondu en larmes.

Il a rappelé Gam pour voir s'il pourrait lui expliquer ce que nous demandions réellement, mais elle lui a tenu à peu près le même discours, bien qu'il ait eu droit à une réplique finale légèrement différente : « Quand ton père est mort, il n'avait pas la queue d'un radis. » Dans l'univers de ma famille, c'était la seule chose qui comptait. Si vous avez l'argent pour unique valeur, c'est à cette aune que vous évaluez tout ; quelqu'un qui, dans ce domaine, avait accompli aussi peu que mon père ne valait donc rien… même si ce quelqu'un se trouvait être votre fils. De surcroît, puisque Freddy était mort sans le sou, ses enfants non plus ne méritaient rien.

Mon grand-père avait parfaitement le droit de modifier son testament comme il l'entendait. Mes oncles et tantes avaient parfaitement le droit de suivre ses instructions à la lettre, même si aucun d'entre eux n'avait davantage mérité sa part du gâteau que mon père. Sans le hasard de leur naissance, ils n'auraient jamais été multimillionnaires. Aucun procureur ou juge fédéral lambda ne possède une villa à vingt millions de dollars à Palm Beach. Aucune assistante de direction n'a de résidence secondaire à Southampton (même si, pour être honnête, Maryanne et Elizabeth étaient les seules des enfants de Fred, à part mon père, à travailler en dehors de la société familiale). Pourtant, tous se comportaient comme s'ils avaient gagné à la sueur de leur front chaque centime de la fortune de mon grand-père, et cet argent était si intimement lié à l'image qu'ils avaient d'eux-mêmes qu'en céder ne serait-ce qu'une infime partie était inenvisageable.

Sur les conseils d'Irwin, nous sommes allés voir Jack Barnosky, un des associés chez Farrell Fritz, le plus grand cabinet d'avocats de Long Island. Jack, un homme pompeux et suffisant, accepta de nous défendre. Sa stratégie consistait à prouver qu'il fallait annuler le testament que mon grand-père avait rédigé en 1990 : Fred Trump n'avait pas toute sa tête au moment de sa signature, et il était sous influence de ses enfants.

Moins d'une semaine après avoir assigné en justice les exécuteurs testamentaires, Jack reçut une lettre de Lou Laurino, l'avocat qui représentait la succession de mon grand-père, un genre de pitbull maigre et nerveux. L'assurance médicale que nous fournissait Trump Management depuis notre naissance venait d'être résiliée. Toute la famille était couverte par elle. Mon frère en dépendait pour payer les frais médicaux exorbitants de son dernier fils. Quand William était tombé malade, Robert avait promis à Fritz qu'ils prendraient tout en charge ; il n'avait qu'à envoyer les factures au bureau.

Nous priver d'assurance – une idée de Maryanne – ne leur apportait strictement rien ; c'était juste une façon de nous causer davantage de souffrance et de nous rendre plus vulnérables. William était alors sorti de l'hôpital, mais il faisait encore des convulsions, qui à plusieurs reprises l'avaient placé dans un état d'insuffisance cardiaque si grave qu'il n'aurait pas survécu sans réanimation. Il avait toujours besoin d'une surveillance quotidienne.

Tout le monde le savait dans la famille, mais personne ne protesta, pas même ma grand-mère, parfaitement consciente que son arrière-petit-fils devrait sans doute recevoir des soins onéreux pour le restant de ses jours.

Fritz et moi n'avions pas d'autre choix que d'intenter une seconde action en justice pour les contraindre à rétablir l'assurance médicale de William. Il fallut recueillir les dépositions et déclarations sous serment des médecins et des infirmières qui le suivaient. Ce fut une procédure longue et stressante qui se termina par une audience devant un juge.

Laurino défendit la résiliation de l'assurance en affirmant d'abord que ce n'était pas un droit auquel nous pouvions prétendre à vie mais plutôt un cadeau que nous avait accordé mon grand-père par bonté d'âme. Il minimisa par ailleurs l'état de William, disant que les infirmières qui s'occupaient de lui jour et nuit et qui lui avaient déjà plusieurs fois sauvé la vie n'étaient rien d'autre que des baby-sitters de luxe. Si Fritz et Lisa avaient peur que leur fils fasse d'autres convulsions, conclut-il, ils n'avaient qu'à apprendre le massage cardiaque.

Les dépositions ne nous aidèrent pas beaucoup. Je n'en revenais pas de constater quel piètre interlocuteur Jack était. Il ne donnait jamais suite à nos relances et partait sans cesse dans des digressions hors sujet. Bien que Fritz et moi lui ayons préparé de longues listes de questions, il ne s'y référait que très rarement. Robert, beaucoup plus détaché que la dernière fois que je lui avais parlé, avança de nouveau comme justification centrale à notre déshéritement la haine de notre grand-père pour notre mère. Maryanne nous qualifia rageusement, mon frère et moi, de « petits-enfants démissionnaires ». Je repensai à toutes les fois où elle avait appelé à la Maison alors que je rendais visite à Gam ; maintenant je comprenais pourquoi elle ne lui demandait jamais de me passer le bonjour. Mon grand-père était furieux contre nous parce que nous ne venions jamais voir notre grand-mère, disait-elle, ignorant totalement la réalité des dix dernières années.

Apparemment, il reprochait aussi à Fritz de ne pas porter de cravate et à moi, quand j'étais ado, de m'habiller en jeans et en sweats baggy. Lors de sa déposition, Donald affirma ne rien savoir ou en tout cas ne se souvenir de rien, une amnésie stratégique dont il se servit à bien d'autres reprises pour échapper à ses responsabilités. Tous les trois déclarèrent sous serment que mon grand-père avait « toute sa tête » jusqu'à peu de temps avant sa mort.

À peu près à cette époque, ma tante Elizabeth croisa un ami de la famille, qui plus tard rapporta leur échange à mon frère.

« Tu te rends compte de ce que font Fritz et Mary ? lui dit-elle. Il n'y a que l'argent qui les intéresse. »

Bien sûr que les testaments sont des histoires d'argent, mais dans une famille qui n'a que l'argent pour valeur, ce sont aussi des histoires d'amour. Je pensais qu'Elizabeth l'aurait compris. Elle n'avait aucun pouvoir dans l'affaire. Son opinion n'avait aucun poids, pourtant c'était douloureux d'apprendre qu'elle aussi suivait la ligne du parti. Même une alliée impuissante et muette aurait été mieux que rien.

Après presque deux ans pendant lesquels les frais d'avocat s'étaient accumulés sans aucune perspective de résolution, Fritz et moi devions décider si nous voulions aller jusqu'au procès. L'état de santé de William était toujours très préoccupant, et un procès aurait demandé une énergie et une disponibilité mentale que mon frère n'avait pas. À contrecœur, nous nous résolûmes à négocier un accord à l'amiable.

Maryanne, Donald et Robert refusaient tout accord si nous n'acceptions pas de leur vendre les parts des biens que nous avions hérités de notre père : ses vingt pour cent du « mini-empire » et les baux à construction qui valaient prétendument « une petite fortune ».

Mes oncles et tantes fournirent une estimation de ces biens à Jack Barnosky, à partir de laquelle Lou Laurino et lui parvinrent à un chiffre qui était vraisemblablement fondé sur des calculs truqués. Jack nous assura qu'à moins d'un procès c'était ce qu'on pouvait espérer de mieux. « On sait qu'ils nous mentent, nous dit-il, mais c'est leur parole contre la nôtre. Et puis, la succession de votre grand-père ne vaut qu'environ trente millions de dollars. » C'était un dixième de l'estimation que Robert avait fournie au *New York Times* en 1999, laquelle s'avérerait finalement ne représenter qu'un quart de la valeur réelle de l'héritage.

Fred était convaincu que son fils aîné avait bénéficié des mêmes outils, des mêmes avantages et des mêmes opportunités que Donald. S'il les avait gâchés, ce n'était pas sa faute à lui. Si, malgré tout ça, son aîné n'avait pas été capable de subvenir aux besoins de sa famille, mon frère et moi devions nous estimer heureux qu'il y ait eu des trusts à nos noms que papa n'avait pas pu dilapider de son vivant. Ce qui pouvait bien advenir de nous après ça n'avait plus rien à voir avec Fred Trump.

Il avait fait sa part ; nous n'avions aucun droit d'en attendre davantage.

Alors que les différentes procédures étaient encore en cours, j'ai été informée qu'après une brève maladie Gam était morte le 7 août 2000 au Jewish Medical Center de Long Island, comme mon grand-père. Elle avait quatre-vingt-huit ans.

Si j'avais su qu'elle était malade, je pense que je serais allée lui rendre visite. Qu'elle n'ait pas demandé à me voir montrait avec quelle facilité nous avions fait le deuil l'une de l'autre. Nous ne nous étions jamais reparlé après cette ultime conversation téléphonique, comme je n'avais pas reparlé non plus à Robert, à Donald, à Maryanne ni à Elizabeth. Il ne m'était même pas venu à l'esprit d'essayer.

Fritz et moi avons décidé d'assister aux funérailles de Gam mais, sachant que nous n'étions pas les bienvenus, nous sommes restés dans une des salles du fond de la collégiale Marble prévues en cas d'affluence excessive. En compagnie de quelques gardes du corps de Donald, nous avons suivi la cérémonie sur un écran.

Les oraisons funèbres furent remarquables surtout par ce qu'elles ne dirent pas. Il fut beaucoup question des retrouvailles de mes grands-parents dans l'au-delà, mais mon père, leur fils aîné, qui était mort depuis près de vingt-neuf ans, ne fut pas mentionné une seule fois. Il n'apparaissait même pas dans la nécrologie de sa mère.

Quelques semaines après la mort de Gam, j'ai reçu une

copie de son testament. C'était un copier-coller de celui de mon grand-père, à une exception près : mon frère et moi avions désormais disparu de la section détaillant les legs à ses petits-enfants. Mon père et toute sa descendance avaient été définitivement effacés.

IV

Le pire investissement du monde

13

Le politique est personnel

Il s'écoula presque une décennie avant que je revoie ma famille, en octobre 2009, au mariage de ma cousine Ivanka avec Jared Kushner. Pourquoi j'avais reçu l'invitation, imprimée sur cet épais papier à lettres qu'utilisait la Trump Organization, mystère.

Alors que la limousine dans laquelle j'étais montée chez moi à Long Island approchait du club-house du golf de Donald à Bedminster (New Jersey), qui d'ailleurs ressemblait étonnamment à la Maison, je me demandais un peu à quoi m'attendre. On nous distribua des châles noirs à l'entrée, et je me sentis un peu moins exposée en m'en couvrant les épaules.

La cérémonie en plein air se tenait sous un grand chapiteau blanc. Des chaises dorées étaient alignées des deux côtés d'un long tapis à bordures également dorées. La houppa juive traditionnelle, couverte de roses blanches, était à peu près aussi grande que ma maison. Donald arborait gauchement la kippa. Avant les vœux, le père de Jared, Charles, sorti de prison trois ans plus tôt, se leva pour nous raconter que, lorsque Jared lui avait présenté Ivanka, il avait d'abord pensé qu'elle ne serait jamais digne d'entrer dans leur famille. C'est seulement en la voyant s'engager à se convertir au judaïsme et travailler dur pour y arriver qu'il avait commencé à se dire qu'elle les valait peut-être, tout compte fait. Venant d'un homme qui avait été condamné pour avoir fait appel à une prostituée afin de séduire son beau-frère, filmé leur rencontre illicite puis envoyé l'enregistrement à sa sœur lors de la réception de fiançailles de son neveu, je trouvai cette condescendance pour le moins déplacée. Après la cérémonie, j'entrai dans le club-house avec mon frère et ma belle-sœur.

Dans le couloir, je tombai sur mon oncle Rob. Mon dernier échange avec lui datait de 1999, le jour où il m'avait raccroché au nez quand je lui avais annoncé que Fritz et moi engagions un avocat pour contester le testament de mon grand-père. Alors que je m'approchais de lui, il me fit un grand sourire qui m'étonna. Puis il se baissa et me serra la main en me faisant une bise, la salutation traditionnelle chez les Trump.

« Choupette ! Comment va ? » me lança-t-il avec entrain. Il enchaîna sans me laisser le temps de répondre : « Tu sais, je me dis qu'il doit y avoir prescription pour les brouilles familiales, depuis le temps. » Rebondissant sur la pointe des pieds, il fit claquer son poing fermé dans sa paume ouverte, imitant mon grand-père sans tout à fait y arriver.

« Ça me va très bien », dis-je. Notre échange de politesses se prolongea pendant quelques minutes. Après quoi, je repris mon chemin vers les marches qui menaient au cocktail, où je vis Donald en train de parler à quelqu'un de connu : un maire ou un gouverneur, je ne me rappelle plus qui.

« Bonjour, Donald, lançai-je en m'approchant d'eux.

— Mary ! Tu es toute belle. » Il me serra la main en me faisant la bise, exactement comme Robert. « Ça fait plaisir de te voir.

— À moi aussi. » C'était un soulagement de constater que l'ambiance entre nous était aimable et courtoise. Rassurée sur ce point, je cédai la place à la personne suivante dans la file d'attente qui s'allongeait à vue d'œil. Certains de ces gens étaient sincèrement venus pour féliciter le père de la mariée ; mais comme la huitième saison de *The Apprentice* (l'émission de téléréalité où il éructait le fameux « You're fired ! ») venait d'être diffusée, il y a fort à parier qu'un grand nombre d'entre eux étaient juste là pour la photo. « Amuse-toi bien ! » me lança-t-il tandis que je m'éloignais.

La réception avait lieu dans une immense salle de bal, et je me trouvais à une distance considérable des hors-d'œuvre. En chemin, j'aperçus ma tante Elizabeth qui courait après son mari. Je croisai son regard et lui fis un signe de la main. Elle me rendit mon geste en lançant : « Coucou, ma puce ! » mais ne s'arrêta pas, et je ne l'ai plus revue ensuite. Je longeai les volumineuses décorations et la piste de danse polie comme un miroir et finis par trouver ma place à la table des cousins au deuxième degré, à la périphérie de la salle. Au loin, j'entendais les rotors des hélicoptères qui décollaient et atterrissaient.

Une fois les entrées servies, je décidai d'aller trouver ma tante Maryanne. Alors que je slalomais entre les tables, Donald monta sur l'estrade pour porter son toast. Si je n'avais pas su de qui il était question, j'aurais pu croire qu'il parlait de la fille de sa secrétaire.

En apercevant Maryanne, je m'arrêtai un instant. Fritz et moi n'aurions jamais été invités au mariage d'Ivanka sans son approbation. Elle ne me vit que quand je me trouvai sous son nez.

« Bonjour, tante Maryanne. »

Il lui fallut quelques secondes pour me remettre. « Mary, comment vas-tu ? » lâcha-t-elle avec raideur, sans sourire.

« Tout va très bien. Ma fille vient d'avoir huit ans, et…

– J'ignorais que tu avais une fille. »

Bien sûr qu'elle l'ignorait, tout comme elle ignorait que je l'élevais avec la femme que j'avais épousée après l'enterrement de mon grand-père puis dont j'avais divorcé, ou que j'avais fraîchement passé mon doctorat en psychologie clinique. Mais elle se comportait comme si elle était vexée de ne pas être au courant. Le reste de notre brève conversation fut tout aussi tendu. Elle me glissa qu'Ivana avait manqué la réception prénuptiale d'Ivanka, tout en ajoutant à mi-voix qu'elle ne pouvait pas raconter pourquoi.

Je battis en retraite vers ma table, et, constatant que le menu végétarien que j'avais demandé n'arrivait pas,

commandai un martini dry à la place. Les olives suffi-
raient à me nourrir.

Un peu plus tard, je revis Maryanne foncer vers nous
d'un air farouche, comme investie d'une mission. Elle
se planta devant mon frère : « Il faut qu'on parle des
sujets qui fâchent. » Puis elle fit un geste pour m'inclure :
« Tous les trois. »

Quelques semaines après les noces d'Ivanka et de Jared,
Fritz et moi étions réunis avec Maryanne et Robert chez
elle, dans son appartement de l'Upper East Side. Je ne
comprenais pas bien ce que Robert faisait là, mais j'ai
pensé qu'il comptait peut-être mettre en pratique son
idée de « prescription » pour les brouilles familiales. J'ai
interprété sa présence comme un bon signe ; mais au fil
de l'après-midi, c'est devenu de moins en moins évident.
Nous n'avions encore évoqué aucun sujet pertinent. Alors
que nous étions dans son salon, avec vue spectaculaire
sur Central Park et sur le Metropolitan Museum of Art,
Maryanne a bien fait quelques allusions à « la débâcle »,
comme elle appelait le procès, mais personne ne semblait
vouloir revenir sur cet épisode.

Rob s'est penché en avant sur son siège, et j'ai espéré
que nous allions enfin crever l'abcès. Au lieu de cela, il
a raconté une histoire.

Dix ans plus tôt, Rob travaillait encore pour Donald
à Atlantic City, à un moment où Donald était financièrement dans la panade. Ses investisseurs se faisaient

laminer, les banques lui couraient après ; quant à sa vie personnelle, c'était un vrai naufrage. Au creux de la vague, Donald avait appelé Rob avec une requête.

« Écoute, Rob, je ne sais pas comment ça va finir, tout ça. Mais c'est dur, je peux très bien faire une crise cardiaque et disparaître. S'il m'arrive quelque chose, je veux que tu veilles à ce que Marla ne manque de rien.

– Bien sûr, Donald. Dis-moi juste ce que je dois faire.

– Tu lui donnes dix millions de dollars. »

En même temps que je pensais : *Merde, c'est une sacrée somme !*, Rob a dit : « Le salopard, ce qu'il peut être radin ! »

Rob riait de ce souvenir alors que je restais abasourdie, à me demander jusqu'où se montait la fortune de ces gens. Selon les infos dont je disposais, dix millions représentaient un tiers du patrimoine total de mon grand-père.

« À peu près à la même époque, Donald m'a appelée pour me dire que j'étais une de ses trois personnes préférées au monde, a renchéri Maryanne. Il oubliait qu'il avait trois enfants, apparemment. » (Tiffany et Barron n'étaient pas encore nés.)

Il n'y a plus eu de réunions avec Rob, mais Fritz et moi, ensemble et séparément, avons pris l'habitude de déjeuner de temps en temps avec Maryanne. Pour la première fois de ma vie, j'apprenais à connaître ma tante. Depuis l'époque où j'avais passé du temps avec Donald pour essayer d'écrire son livre, je n'avais plus jamais eu la sensation de faire un peu partie de la famille.

Environ deux mois après le dîner d'anniversaire d'avril 2017 à la Maison-Blanche, j'étais chez moi, en train de lacer mes baskets, lorsqu'on sonna à la porte. Je ne sais pas pourquoi j'allai ouvrir. Je ne le faisais presque jamais. Les trois quarts du temps, c'était un témoin de Jéhovah ou des missionnaires mormons ; le reste du temps, quelqu'un qui voulait me faire signer une pétition.

En ouvrant ma porte, je découvris une inconnue, avec d'abondantes boucles blondes et des lunettes à monture foncée. À son pantalon de toile, sa chemise et sa sacoche, je me suis dit qu'elle n'était pas du quartier.

« Bonjour. Je m'appelle Susanne Craig. Je suis reporter au *New York Times*. »

Il y avait longtemps que les journalistes avaient cessé de chercher à me joindre. À l'exception de David Corn du magazine de gauche *Mother Jones* et de quelqu'un de l'émission de reportages *Frontline*, le seul autre à m'avoir laissé un message avant l'élection travaillait pour *Inside Edition*, une émission de télé *people*. Rien de ce que j'avais à dire sur mon oncle n'avait eu d'intérêt jusqu'à novembre 2016 ; pourquoi vouloir m'écouter maintenant ?

Contrariée par la futilité de tout cela, je dis : « Ça ne se fait pas de se pointer comme ça chez les gens.

– Je comprends. Je suis navrée. Mais nous travaillons sur un article vraiment important sur les finances de votre famille, et nous pensons que vous pourriez beaucoup nous aider.

– Je ne peux pas vous parler.

– Prenez au moins ma carte. Si jamais vous changez d'avis, vous pouvez m'appeler à tout moment.

– Je ne parle pas aux journalistes. »

Je pris quand même sa carte.

Quelques semaines plus tard, je me cassai le cinquième métatarse du pied gauche. Je passai quatre mois prisonnière chez moi, obligée de surélever mon pied chaque fois que je m'asseyais dans le canapé.

Je reçus une lettre de Susanne Craig qui se disait à nouveau convaincue que je possédais des documents qui pourraient contribuer à « réécrire l'histoire du président des États-Unis ». Je ne répondis pas. Mais elle persévéra.

Au bout d'un mois passé dans mon canapé à compulser Twitter avec les infos en boucle à l'arrière-plan, je voyais en temps réel Donald saccager les normes, mettre nos alliances en péril et piétiner les plus vulnérables. La seule chose qui m'étonnait était le nombre de plus en plus important de personnes prêtes à l'y encourager.

Notre démocratie se désintégrait, les décisions politiques de mon oncle affectaient gravement la vie des gens et je repensais sans cesse à la lettre de Susanne Craig. Je retrouvai sa carte de visite et l'appelai. Je lui dis que je voulais lui apporter mon aide mais que je n'étais plus en possession des documents relatifs à notre procès, qui remontait déjà à plusieurs années.

« Jack Barnosky les a peut-être encore », me répondit-elle.

Le pire investissement du monde

Dix jours après, j'étais en route pour le bureau de Jack.

Le siège de Farrell Fritz occupait deux bâtiments oblongs enchâssés dans du verre bleu. Un vent mordant balayait le vaste parking. Comme il était impossible de se garer près de l'entrée, je mis dix minutes, après avoir trouvé une place, à atteindre le hall avec mes béquilles. Je négociai avec la plus grande prudence l'escalator et le sol de marbre.

Le temps d'arriver à destination, j'étais épuisée et en nage. Trente cartons de rangement garnissaient deux des murs et un meuble-bibliothèque. En dehors de cela, la pièce ne contenait qu'un bureau et une chaise. La secrétaire de Jack m'avait gentiment sorti un bloc-notes, un stylo et des trombones. Je lâchai mes sacs, appuyai mes béquilles contre le mur et me laissai tomber sur la chaise de bureau. Les cartons n'étant pas étiquetés, je ne savais pas du tout par où commencer.

Il me fallut environ une heure pour me familiariser avec leur contenu et compiler une liste, en me déplaçant assise sur la chaise à roulettes et en me levant sur un pied pour hisser les cartons sur le bureau. Lorsque Jack passa voir où j'en étais, j'étais écarlate et en sueur. Il me rappela que je ne pouvais sortir aucun document de la pièce. « Ils appartiennent aussi à votre frère, et j'ai besoin de son autorisation », me dit-il. Ce qui n'était absolument pas vrai.

Alors qu'il se retournait pour partir, je le hélai : « Jack, attendez une seconde. Pouvez-vous me rappeler pourquoi nous nous sommes finalement rabattus sur un règlement à l'amiable ?

— Eh bien, vous commenciez à vous inquiéter des frais, et, comme vous le savez, notre cabinet facture quel que soit le résultat. On avait beau savoir qu'ils nous mentaient, c'était leur parole contre la nôtre. Par ailleurs, la succession de votre grand-père ne s'élevait qu'à une trentaine de millions. » C'était quasiment mot pour mot ce qu'il m'avait dit la dernière fois que je l'avais vu, presque douze ans auparavant.

« Ah, d'accord. Merci. » J'avais entre les mains des documents prouvant que le patrimoine était en réalité plus proche du milliard de dollars à la mort de Fred ; simplement, je ne le savais pas encore.

Une fois certaine qu'il était parti, je pris des copies du testament de mon grand-père, des disquettes contenant toutes les dépositions du procès et quelques relevés bancaires de mon grand-père – autant de pièces qui m'étaient entièrement accessibles car faisant partie du procès – et je les fourrai dans mon sac.

Sue vint chez moi le lendemain prendre les documents et me déposer un téléphone prépayé afin que nous puissions dorénavant communiquer de manière plus sécurisée. Nous ne voulions prendre aucun risque.

Lors de mon troisième passage chez Farrell Fritz, je passai méthodiquement les cartons en revue et découvris que *tous* les documents étaient stockés en double. J'en parlai à la secrétaire de Jack, en suggérant que cela faisait sauter la contrainte de demander une autorisation à mon frère – un soulagement, puisque je n'étais plus obligée de l'impliquer dans ma démarche. Je laisserais un exemplaire de chaque, au cas très improbable où il en voudrait un jour.

Je commençais tout juste à chercher les documents dont le *Times* m'avait fait la liste lorsque je reçus un message de Jack : je pouvais prendre tout ce que je voulais, du moment que je laissais une copie sur place. J'étais loin de m'attendre à cela. D'ailleurs, j'avais prévu de retrouver Sue et ses collègues Russ Buettner et David Barstow (les deux autres journalistes travaillant sur l'affaire) chez moi dès treize heures avec ce que j'aurais réussi à sortir en douce. Je prévins Sue que je serais en retard.

À quinze heures, je reculai mon véhicule – une camionnette que j'avais empruntée parce que je ne pouvais pas manœuvrer le levier de vitesses de ma voiture – jusqu'à la zone de chargement située sous le bâtiment, et dix-neuf cartons furent chargés à bord.

La nuit commençait à tomber lorsque j'arrivai chez moi. Les trois reporters m'attendaient dans le SUV blanc de David, qui, Noël étant proche, arborait une paire de faux bois de renne sur le toit et un gros nez rouge accroché avec du fil de fer sur la calandre. Quand je leur montrai les cartons, tout le monde se tomba dans les bras. Il y avait des mois que je ne m'étais pas sentie si heureuse.

Après le départ de Sue, Russ et David, j'étais épuisée et soulagée. Ces dernières semaines m'avaient donné le tournis. Je ne mesurais pas entièrement l'envergure du risque pris. Si un membre de ma famille avait vent de mes agissements, il y aurait des répercussions – je savais comme ils pouvaient être vindicatifs –, mais il était impossible de prévoir jusqu'où cela pourrait aller. De toute manière, ils étaient déjà allés bien assez loin. Il me semblait que j'allais peut-être enfin réussir à changer les choses.

Par le passé, rien de ce que j'avais pu faire n'avait été remarqué, si bien que je n'avais pas beaucoup essayé. Être bon, agir correctement ne comptait pas pour grand-chose : quoi que l'on fasse, il fallait que ce soit extraordinaire. On ne pouvait pas être simple procureure, il fallait être la meilleure du pays, il fallait être juge fédérale. On ne pouvait pas se contenter de piloter des avions, il fallait être pilote de ligne pour une grande compagnie aérienne à l'aube de l'ère de l'aviation à réaction. J'en ai longtemps voulu à mon grand-père de me faire sentir cela. Mais ce qu'aucun d'entre nous ne comprenait, c'est que cette exigence d'être « le meilleur » aux yeux de mon grand-père ne s'appliquait en fait qu'à mon père (qui avait échoué) et à Donald (qui avait dépassé ses rêves les plus fous).

Même lorsque j'eus enfin compris que mon grand-père se fichait complètement de ce que je pouvais accomplir ou réussir, et que mes propres attentes irréalistes me paralysaient, il me semblait encore que seul un coup d'éclat me permettrait de remettre les pendules à l'heure. Le bénévolat pour une association d'aide aux réfugiés syriens ne suffisait pas ; je devais faire tomber Donald.

Après l'élection, Donald appela sa sœur aînée, prétendument pour lui demander son avis sur sa prestation de président. Bien sûr, il pensait déjà connaître la réponse, faute de quoi il n'aurait jamais décroché son téléphone. Tout ce qu'il voulait, c'était qu'elle lui confirme avec emphase qu'il se débrouillait comme un chef.

Lorsqu'elle lui répondit : « Pas terrible », il passa immédiatement à l'attaque.

« Quelle vilaine », commenta-t-il. Et elle n'avait pas besoin de voir son rictus dédaigneux. Puis, comme par hasard, il lui demanda : « Maryanne, où en serais-tu sans moi ? » Autrement dit, un rappel plein de morgue du fait que Maryanne lui devait sa position de juge fédérale, grâce à une faveur que Roy Cohn leur avait accordée des années auparavant.

Ma tante a toujours soutenu qu'elle avait obtenu son poste entièrement au mérite. « Si tu me dis ça encore une fois, répliqua-t-elle, je t'aplatis. »

Mais c'était une menace en l'air. Maryanne avait beau se vanter d'être la seule personne au monde que Donald écoutait, cette époque était révolue. Nous en avons eu l'illustration peu après, en juin 2018. À la veille du premier sommet de Donald avec le dictateur nord-coréen Kim Jong-un, Maryanne appela la Maison-Blanche et laissa un message à sa secrétaire : « Dites-lui que sa grande sœur a appelé pour lui donner un petit conseil fraternel. Qu'il se prépare. Qu'il apprenne de ceux qui savent ce qu'ils font. Qu'il évite comme la peste Dennis Rodman [un ancien joueur de basket qui se vantait de son amitié avec Kim Jong-un]. Et qu'il laisse son Twitter chez lui. »

Il n'écouta rien du tout. Le lendemain, *Politico* clamait

à la une : « Trump dit que la rencontre avec Kim se jouera à l'attitude, et non au travail préparatoire. » Si Maryanne avait jamais eu une influence sur son petit frère, celle-ci s'était envolée depuis belle lurette. En dehors du coup de fil d'anniversaire de rigueur, ils ne se sont pas beaucoup reparlé depuis.

Alors qu'ils travaillaient sur l'article, les journalistes du *Times* m'invitèrent à me joindre à eux pour une visite des propriétés de mon grand-père. Le 10 janvier 2018 au matin, ils passèrent me chercher à la gare de Jamaica dans le SUV de David, toujours orné de ses cornes et de son nez rouge. Nous avons commencé par le Highlander, où j'ai grandi, et avons passé la journée à braver les chutes de neige et les plaques de verglas pour tâcher de voir la plus grande partie possible de l'empire Trump.

Au bout de neuf heures, nous n'avions encore pas tout vu. J'avais troqué mes béquilles contre une canne, mais j'étais quand même épuisée, aussi bien mentalement que physiquement, quand je rentrai chez moi. J'essayai de donner un sens à ce que je venais de voir. J'avais toujours su que mon grand-père possédait des immeubles, mais je ne me doutais pas de leur nombre. Plus perturbant : mon père, apparemment, avait été propriétaire de vingt pour cent de certains immeubles. Je n'en avais jamais entendu parler.

Le 2 octobre 2018, le *New York Times* publiait un article de presque 14 000 mots, le plus long de son histoire, révélant la longue litanie des activités potentiellement frauduleuses et criminelles auxquelles s'étaient livrés mon grand-père, mes tantes et mes oncles.

Le travail extraordinaire de l'équipe du *Times* m'en apprit davantage sur les finances de ma famille que tout ce que j'avais jamais su.

L'avocat de Donald, Charles J. Harder, nia évidemment les allégations, mais les éléments avancés par les journalistes étaient accablants. Au cours de leur vie, Fred et ma grand-mère avaient transféré des centaines de millions de dollars à leurs enfants. Du vivant de mon grand-père, Donald à lui seul avait reçu l'équivalent de 413 millions de dollars, dont l'essentiel par des voies plus que discutables : des prêts jamais remboursés, des investissements dans des projets immobiliers qui n'avaient jamais vu le jour. Dans l'ensemble, des cadeaux jamais déclarés au fisc. Cela n'incluait pas les 170 millions rapportés par la vente de l'empire de mon grand-père. Les sommes mentionnées dans l'article étaient étourdissantes, et les quatre frères et sœurs les récoltaient depuis des décennies. Papa avait clairement touché sa part au début de sa vie, mais dès l'âge de trente ans il ne lui restait plus rien. J'ignore complètement où est passé son argent.

En 1992, deux ans seulement après la tentative de Donald pour ajouter le codicille au testament de mon grand-père et léser ses frère et sœurs, tous les quatre avaient soudain eu besoin les uns des autres : alors que leur père avait passé sa vie à les diviser pour mieux régner, ils avaient enfin un projet commun : préserver leur héritage des griffes de l'État. Fred avait refusé d'écouter ses avocats qui lui conseillaient de céder le contrôle de son empire à ses enfants avant sa mort afin de minimiser les frais de succession. Cela signifiait que Maryanne, Elizabeth, Donald et Robert seraient soumis, potentiellement, à des centaines de millions de dollars de frais de succession. En plus de dizaines d'immeubles, mon grand-père avait amassé des liquidités astronomiques. Ses propriétés n'étaient nullement endettées et rapportaient des millions chaque année. La solution trouvée par la fratrie fut de monter une société d'entretien de bâtiments, la All County Building Supply & Maintenance. À ce moment-là, dans les faits, mon grand-père était mis sur la touche par sa démence de plus en plus sévère – mais de toute manière, il n'aurait pas démenti la combine. Et puisque mon père était mort depuis longtemps, Maryanne, Donald et Robert avaient les coudées franches ; ils étaient censés administrer notre part d'héritage, mais personne n'était là pour les obliger à remplir leurs obligations envers Fritz et moi, et il leur était facile de nous maintenir à l'écart.

Mes oncles et tantes détestaient presque autant que leur père payer des impôts, et l'objectif principal de la All County semble avoir été de siphonner de l'argent de Trump Management par le biais de gros cadeaux déguisés en « transactions commerciales légitimes », d'après l'article. La combine était tellement efficace qu'à sa mort en 1999 Fred n'avait plus que 1,9 million de dollars de trésorerie et que son actif le plus important était une reconnaissance de dette de Donald se montant à 10,3 millions. Après la mort de Gam l'année suivante, la valeur combinée des biens de mes grands-parents, officiellement, dépassait à peine 51,8 millions. Une assertion risible, d'autant plus que la fratrie vendit l'empire pour plus de 700 millions quatre ans plus tard.

L'investissement de mon grand-père dans Donald avait extraordinairement réussi à court terme. Fred avait stratégiquement déployé des millions de dollars, et même souvent des dizaines de millions, à des moments clés de la « carrière » de Donald. Parfois, les fonds avaient soutenu son image et le style de vie qui allait avec ; parfois ils avaient acheté à Donald des relations et des faveurs ; de plus en plus souvent, ils avaient servi à le renflouer. De cette manière, Fred savourait par procuration la splendeur de Donald, content de savoir que rien de tout cela n'aurait été possible sans son expertise ni ses largesses. À long terme, cependant, mon grand-père, qui n'avait qu'un vœu – que son empire lui survive à perpétuité – a tout perdu.

Chaque fois que mon frère et moi nous réunissions avec Robert pour parler du patrimoine, celui-ci insistait beaucoup sur son souhait d'honorer la volonté de son père : que nous n'obtenions rien. En revanche, quand il s'agissait de leurs propres intérêts, les quatre Trump encore vivants n'avaient aucun scrupule à jeter aux orties la seule chose qui aurait fait plaisir à mon grand-père. Lorsque Donald a annoncé son désir de vendre, aucun d'entre eux ne s'est élevé contre lui.

En 2004, la grande majorité de l'empire que mon grand-père avait passé plus de sept décennies à construire fut vendue à un acquéreur unique, Ruby Schron, pour 705,6 millions de dollars. Les banques qui finançaient la vente pour Schron avaient évalué les propriétés à presque 1 milliard, ce qui signifie que mon oncle Donald, le soi-disant maître négociateur, laissait presque 300 millions d'un seul coup sur la table.

La décision de vendre le parc immobilier en bloc fut stratégiquement catastrophique. Le plus intelligent aurait été de ne pas toucher à Trump Management. Les quatre frères et sœurs auraient pu gagner *chacun* 5 à 10 millions par an, pratiquement sans lever le petit doigt. Mais Donald avait besoin d'une bien plus grosse injection de liquidités. Une somme si minable – même annuellement – ne pouvait pas faire l'affaire.

Ils auraient aussi pu vendre les immeubles et les complexes par lots. Cela aurait substantiellement augmenté le prix de vente total. Mais le processus aurait traîné en longueur. Donald, harcelé par ses créanciers d'Atlantic City, ne voulait pas attendre. En outre, garder le secret sur des dizaines de ventes aurait été presque impossible. Il leur fallait donc conclure la vente en une seule transaction, le plus vite et le plus discrètement possible.

Sur ce point-là, ce fut une réussite. Ce fut peut-être la seule transaction immobilière de Donald qui ne reçut aucune attention de la presse. Quelles qu'aient pu être leurs objections, Maryanne, Elizabeth et Robert les gardèrent pour eux. Même alors, Maryanne, pourtant de dix ans plus âgée, plus expérimentée et plus accomplie que l'avant-dernier de la fratrie, s'inclinait devant lui.

« Donald a toujours obtenu ce qu'il voulait », disait-elle. D'autre part, aucun d'entre eux ne pouvait courir le risque d'attendre ; ils savaient où étaient enterrés les cadavres, car ils les avaient tous enfouis ensemble dans la société All County.

Divisé en quatre, cela rapporta environ 170 millions à chacun. Pour Donald, ce n'était toujours pas assez. Peut-être pour aucun d'entre eux, d'ailleurs. Rien n'était jamais assez.

Quand j'allai voir Maryanne en septembre 2018, moins d'un mois avant la publication de l'article, elle me glissa que David Barstow l'avait contactée. Mon cousin David avait retrouvé l'ancien comptable de mon grand-père, Jack Mitnick – à présent âgé de quatre-vingt-onze ans – dans une maison de retraite quelque part en Floride, et le soupçonnait d'être la source. Maryanne, balayant toute l'affaire d'un revers de main, suggéra que l'article parlait seulement de la controverse du codicille de 1990. Pourtant, si elle était bien en contact avec Barstow, elle devait connaître l'étendue de l'enquête : All County, la présumée fraude fiscale. Cela ne semblait pas la perturber. Je me demandais pourquoi Robert et elle ne s'étaient pas mis en quatre pour dissuader Donald de se présenter à la présidentielle. Ils ne pouvaient tout de même pas croire que leur frère (et eux-mêmes, par extension) continuerait d'échapper aux regards inquisiteurs.

J'ai revu Maryanne brièvement, peu après la publication de l'article. Elle a nié en bloc. Après tout, elle n'était qu'une « jeune fille » à l'époque. Quand on avait mis des papiers devant elle, elle avait signé sans se poser de questions. « Cet article parle de choses qui remontent à soixante ans. C'était avant que je sois juge, tout ça, tu le sais bien », me dit-elle comme si l'enquête *s'arrêtait* aussi soixante ans plus tôt. Elle ne semblait pas du tout s'inquiéter d'éventuelles répercussions. Une enquête avait été ouverte sur sa conduite présumée, mais tout ce qu'elle avait à faire pour y mettre fin était de prendre sa retraite, ce qu'elle fit, conservant ainsi une pension annuelle de 200 000 dollars.

Sur ces entrefaites, ses soupçons s'étaient éloignés du cacochyme Jack Mitnick pour se porter sur son cousin germain John Walter (le fils de la sœur de mon grand-père, Elizabeth), décédé en janvier de cette année-là. J'étais stupéfiée par la facilité avec laquelle Maryanne adoptait cette conclusion. John avait travaillé pour et avec mon grand-père pendant des décennies, avait énormément bénéficié de la fortune de son oncle, s'était lourdement investi dans la All County, et, à ma connaissance, s'était toujours montré extrêmement loyal. Je trouvais étrange qu'elle l'implique, même si ses soupçons m'arrangeaient. Ce que j'ignorais à l'époque, c'est que Donald n'avait pas été mentionné dans l'hommage funèbre de John. Étant donné que ce dernier s'était toujours intéressé à l'histoire familiale des Trump et vanté de ses liens avec Trump Management, l'omission n'était pas passée inaperçue.

Mais il y avait plus étonnant : Maryanne ne semblait pas imaginer que je puisse être contrariée par ce que racontait l'article – comme si elle aussi en était venue à croire à une version des événements qui oblitérait la vérité et à réécrire l'histoire. Il ne lui venait pas à l'idée que les révélations puissent m'affecter d'une quelconque manière.

Pourtant, au vu des énormes quantités d'argent supposément détournées par les frères et sœurs de mon père, leur combat contre nous pour l'héritage de mon grand-père et leur sous-évaluation drastique de notre part (dont je prenais pour la première fois la mesure) apparaissaient comme pathologiquement mesquins, et leur décision de priver mon neveu d'assurance médicale comme encore plus cruelle.

14

De la Maison à la Maison-Blanche

Une ligne droite relie la Maison au triplex de la Trump Tower puis à l'aile Ouest de la Maison-Blanche, tout comme une autre relie Trump Management à la Trump Organization puis au Bureau ovale. Sur la première, on trouve des univers sous contrôle, dans lesquels les besoins matériels de Donald ont toujours été pris en charge ; sur la seconde, une série de sinécures dans lesquelles le travail est fait par d'autres, de sorte que Donald n'a jamais eu besoin d'acquérir une quelconque expertise pour obtenir ou garder le pouvoir (ce qui explique en partie son mépris pour l'expertise d'autrui). Tout cela l'a protégé de ses propres échecs tout en lui permettant de croire à sa réussite.

Donald était pour mon grand-père ce que le mur à la frontière mexicaine a été pour Donald : un caprice de vanité, financé au détriment d'entreprises plus louables. Fred n'a pas préparé Donald à lui succéder ; du temps où il avait encore toute sa tête, il n'aurait confié Trump Management à personne. Il a utilisé Donald, malgré ses

306

échecs et ses erreurs de jugement, comme visage public de ses propres ambitions frustrées. Fred encourageait sans cesse la fausse impression de réussite de Donald, jusqu'au jour où il n'est plus resté à celui-ci que sa facilité à être dupé par plus puissant que lui.

On se pressait au portillon pour profiter de lui. Dans les années 1980, les journalistes new-yorkais et les chroniqueurs *people* découvrirent que Donald ne faisait pas la différence entre moquerie et flatterie, et utilisèrent son absence de sens du ridicule pour vendre du papier. Cette image, et la faiblesse de l'homme qu'elle représentait, voilà précisément ce qui retint l'attention du producteur Mark Burnett. En 2004, lors de la première diffusion du reality-show *The Apprentice*, les finances de Donald étaient loin d'être prospères (même avec sa part d'héritage de 170 millions, après la vente du parc immobilier par la fratrie), et son propre « empire » était constitué d'opérations de *branding* de plus en plus pitoyables comme Trump Steaks, Trump Vodka ou Trump University. Cela faisait de lui une cible facile pour Burnett. Donald comme les téléspectateurs étaient les dindons de la farce que fut *The Apprentice*, une émission qui le présentait sans vergogne comme un capitaine d'industrie légitimement florissant, malgré toutes les preuves du contraire.

Pendant les quarante premières années de sa carrière dans l'immobilier, mon grand-père ne s'était jamais endetté. Dans les années 1970 et 1980, toutefois, cela a changé à mesure que les ambitions de Donald grandissaient et que ses erreurs se multipliaient. Loin d'étendre

l'empire de son père, tout ce qu'a fait Donald après la
Trump Tower (qui, tout comme son premier projet, le
Grand Hyatt, n'aurait jamais vu le jour sans la fortune
et l'entregent de Fred) n'a fait que grignoter la valeur de
l'empire. À la fin des années 1980, la Trump Organization semblait s'être fixé comme objectif de perdre de
l'argent, Donald siphonnant discrètement des millions de
Trump Management pour soutenir son image mythique
de prodige de l'immobilier et de négociateur hors pair.

Ironie du sort, plus Donald échouait dans ses entreprises immobilières, plus mon grand-père avait besoin
qu'il présente une apparence de succès. Fred l'entourait
de personnes compétentes qui lui attribuaient ensuite tous
les lauriers ; qui le mettaient en avant et mentaient pour
lui ; qui savaient comment fonctionnaient les affaires de
la famille.

Plus mon grand-père le couvrait d'or, plus Donald prenait confiance en lui, ce qui l'incitait à se lancer dans
des entreprises encore plus vastes et risquées, ce qui provoquait des échecs encore plus retentissants, ce qui obligeait Fred à intervenir encore davantage. En continuant
d'encourager les travers de son fils, il les aggravait sans
cesse : Donald était de plus en plus assoiffé d'attention
médiatique et d'argent gratuit, de plus en plus vantard
et bourré d'illusions sur sa « grandeur ».

Si renflouer Donald était à l'origine une pratique exclusive de Fred, les banques ne tardèrent pas à lui emboîter
le pas. Au début, enthousiasmées par ce qu'elles prenaient
chez Donald pour une efficacité implacable et un talent

pour faire avancer les choses, elles opérèrent de bonne foi. Puis, tandis que s'accumulaient les faillites et les factures pour des achats inconsidérés, les prêts perdurèrent, mais cette fois comme moyen de perpétuer l'illusion de réussite qui les avait bernées au départ. On peut comprendre que Donald ait eu de plus en plus l'impression d'avoir l'avantage, même si ce n'était pas le cas. Sans avoir conscience du fait que d'autres l'utilisaient pour leurs propres fins, il croyait garder le contrôle. Fred, les banques et les médias lui laissaient la bride sur le cou pour mieux obtenir de lui ce qu'ils voulaient.

Alors qu'il commençait tout juste à tenter de reprendre l'hôtel Commodore, Donald donna une conférence de presse présentant son engagement dans le projet comme un fait accompli. Il mentit sur des transactions qui n'avaient pas eu lieu, s'imposant d'une manière qui rendait difficile de l'écarter après coup. Fred et lui eurent ensuite recours à la même astuce, jouant sur sa réputation nouvellement gonflée dans la presse new-yorkaise — et sur de nombreux millions fournis par mon grand-père — afin d'obtenir d'énormes abattements fiscaux pour son projet suivant, la Trump Tower.

Dans sa tête, Donald avait tout réussi à la force du poignet, nonobstant les tricheries. Combien d'interviews n'a-t-il pas données dans lesquelles il profère le mensonge éhonté que son père lui a accordé un simple prêt d'un million, qu'il a dû rembourser, et qu'en dehors de ce coup de pouce il est le seul acteur de sa réussite ? On comprend facilement comment il a pu y croire. Personne

n'a bénéficié de ses propres échecs de manière aussi persis-
tante et spectaculaire que cet homme, désormais leader de
façade d'un monde libre qui se rétrécit de jour en jour.

Le Donald d'aujourd'hui est à peu près le même que
le petit Donald de trois ans : incapable de grandir, d'apprendre ou d'évoluer, incapable de réguler ses émotions,
de modérer ses réactions, d'absorber et de synthétiser
l'information.

Sa soif de louanges est si grande qu'il ne semble pas
s'apercevoir que la plupart de ses fans sont des gens
avec qui il ne condescendrait pas à être vu en dehors
de ses meetings. Ses complexes profonds ont creusé en
lui un gouffre de dépendance qui exige constamment la
lumière des compliments, lumière qui disparaît aussitôt
qu'il baigne dedans. Rien n'est jamais assez. Cela va bien
plus loin que le narcissisme ordinaire ; Donald n'est pas
simplement faible, son ego est une chose fragile qui doit
être étayée à tout moment car il sait, tout au fond de lui,
qu'il n'est rien de ce qu'il prétend être. Il sait qu'il n'a
jamais été aimé. Il doit donc vous attirer à lui s'il le peut,
en vous faisant acquiescer à tout, même aux choses qui
semblent les plus insignifiantes : « N'est-ce pas qu'il est
formidable, cet avion ? – Oui, Donald, il est formidable. »
Ce serait impoli de lui refuser cette petite concession.
Puis il vous rend responsable de ses vulnérabilités et de
ses complexes : à vous de les dissiper, à vous de prendre
soin de lui. Si vous omettez de le faire, cela laisse un
vide qu'il ne peut tolérer longtemps. Si son approbation

compte pour vous, vous direz n'importe quoi pour la conserver. Il a énormément souffert, et si vous ne faites pas tout votre possible pour alléger cette souffrance, alors vous aussi devrez souffrir.

Depuis son enfance à la Maison jusqu'à aujourd'hui en passant par ses premières incursions dans le monde de l'immobilier new-yorkais et dans la haute société, le comportement aberrant de Donald a systématiquement été banalisé par son entourage. Lorsqu'il a déboulé sur la scène de l'immobilier new-yorkais, il a été encensé comme un négociateur culotté doublé d'un self-made-man. Mais l'adjectif « culotté » était employé comme un compliment (synonyme d'audace, plutôt que de grossièreté ou d'arrogance), et il n'était ni parti de rien ni bon négociateur. Mais c'est ainsi que cela a commencé : déjà il parlait mal, et déjà les médias négligeaient de lui poser les bonnes questions.

Ses talents réels (pour la vantardise, le mensonge, la manipulation) étaient interprétés comme des atouts, propres à son type de réussite. En perpétuant sa version à lui de l'histoire, celle qu'il voulait voir raconter sur sa fortune et sur les « succès » qui en découlaient, notre famille puis bien d'autres personnes ont initié le processus de banalisation de Donald. Sa pratique d'engager des travailleurs sans papiers (et la manière dont il les traitait), son refus de payer ses fournisseurs pour des travaux achevés étaient interprétés comme le prix à payer pour faire des affaires. Il se donnait des allures de gros dur en traitant les gens sans aucun respect et en grappillant le moindre sou.

À l'époque, colporter cette réalité déformée devait sembler inoffensif – un moyen pour le *New York Post* de booster son tirage ou pour *Inside Edition* d'augmenter son audience –, mais chaque transgression menait inévitablement à une autre, plus grave. L'idée que ses tactiques aient été des calculs légitimes et non des arnaques éhontées est encore une des facettes du mythe que mon grand-père et lui ont construit pendant des décennies.

Si Donald n'a pas fondamentalement changé, en revanche le stress auquel il est soumis a changé du tout au tout depuis son accession au pouvoir suprême. Ce n'est pas le boulot en soi qui le stresse, puisqu'il ne le fait pas (à moins de compter les heures passées devant la télé et les insultes sur Twitter). Ce qui lui demande un travail de titan, c'est l'effort de détourner perpétuellement notre attention du fait qu'il ne sait rien – ni de la politique, ni du sens civique, ni même de la décence la plus élémentaire. Pendant des dizaines d'années, il a reçu de la publicité, bonne et mauvaise, mais il a rarement été soumis à une surveillance si serrée, et il n'a jamais eu à affronter d'opposition significative. C'est toute sa conception de lui-même et du monde qui est remise en question.

Si Donald accumule les problèmes, c'est parce que les manœuvres requises pour les résoudre, ou pour convaincre qu'ils n'existent pas, sont devenues de plus en plus compliquées, nécessitant de plus en plus de gens pour les dissimuler. Il n'a pas les moyens de résoudre ses propres problèmes ni de brouiller les pistes suffisamment. Après tout, les systèmes ont été élaborés précisément pour le protéger de ses faiblesses, pas pour l'aider à naviguer dans le vaste monde.

Les murs de sa cellule capitonnée très onéreuse et très bien gardée commencent à s'effriter. Ceux qui sont autorisés à l'approcher sont tous plus faibles que lui, plus veules, mais tout aussi déterminés. Leur avenir dépend directement de sa réussite et de sa faveur. Soit ils ne voient pas, soit ils refusent de comprendre qu'ils connaîtront un jour le même sort que tous ceux qui lui ont accordé leur loyauté dans le passé. Il y a apparemment une réserve infinie de candidats prêts à se joindre à la claque qui protège Donald contre ses propres défauts tout en encourageant sa confiance en lui, si illégitime soit-elle. Ce sont des individus plus puissants que lui qui l'ont placé dans les institutions qui le protègent depuis le tout début, mais ce sont de plus faibles qui l'y maintiennent.

Quand Donald est devenu un candidat sérieux à la nomination par le Parti républicain puis quand il a obtenu l'investiture, les médias américains ont traité ses pathologies (sa manie du mensonge, sa folie des grandeurs), ainsi que son racisme et sa misogynie, comme des particularités divertissantes qui masquaient une maturité et un sérieux sous-jacents. Avec le temps, la grande majorité des républicains – depuis l'extrême droite jusqu'aux soi-disant modérés – se sont ralliés à lui afin d'utiliser sa faiblesse et sa malléabilité pour leur propre profit, ou ont tout bonnement fermé les yeux.

Après l'élection, Vladimir Poutine, Kim Jong-un et le chef de la majorité républicaine au Sénat, Mitch McConnell, qui tous montrent une ressemblance psychologique plus que frappante avec Fred, ont constaté – comme d'autres l'auraient dû – que l'histoire personnelle en dents de scie de Donald et ses traits de caractère tout à fait uniques le rendaient extrêmement sensible à la manipulation par des hommes plus rusés et plus puissants. Ses pathologies l'ont rendu tellement simple d'esprit qu'il suffit de lui répéter ce qu'il dit de lui-même et qu'il se raconte à lui-même des dizaines de fois par jour – qu'il est le plus intelligent, le plus grand, le meilleur – pour obtenir de lui ce que l'on veut, qu'il s'agisse d'emprisonner des enfants dans des camps de rétention, de trahir nos alliés, d'accorder aux riches des cadeaux fiscaux propres à broyer l'économie ou de dégrader toutes les institutions ayant contribué à l'ascension et à l'épanouissement de la démocratie libérale aux États-Unis.

Dans un article pour le magazine culturel *The Atlantic*, Adam Serwer écrivait que, pour Donald, le but du jeu, c'est la cruauté. Pour Fred, c'était absolument vrai. L'un des rares plaisirs dans la vie de mon grand-père, en dehors de gagner de l'argent, était d'humilier autrui. Persuadé d'avoir raison en toute situation, porté par sa réussite spectaculaire et par la croyance en sa propre supériorité, il mettait un point d'honneur à punir vite et bien toute contestation de son autorité et à remettre l'impertinent à sa place. Dans les faits, c'est ce qui s'est passé quand il a promu Donald au lieu de Freddy à la tête de Trump Management.

Donald, contrairement à mon grand-père, a toujours eu du mal à asseoir sa légitimité – comme remplaçant adéquat de Freddy, comme promoteur immobilier à Manhattan ou comme magnat des casinos, et maintenant comme occupant du Bureau ovale poursuivi par l'idée qu'il est fondamentalement dénué de qualifications ou par l'impression que sa « victoire » est illégitime. Toute sa vie, tandis que ses échecs s'accumulaient malgré les interventions répétées – et extravagantes – de mon grand-père, il a peu à peu cessé de courir après une légitimité inatteignable, préférant trouver des combines pour que nul ne découvre qu'il n'en a jamais eu aucune. Cela n'a jamais été aussi vrai qu'en ce moment, et c'est exactement le problème dans lequel le pays est empêtré : le gouvernement tel qu'il est constitué à l'heure actuelle, comprenant l'exécutif, la moitié du Congrès et la majorité à la Cour suprême, est entièrement placé au service de la protection de l'ego de Donald ; c'est presque devenu son seul objectif.

La cruauté de Donald sert, pour une part, à détourner notre attention et la sienne de l'étendue de ses échecs. Plus ceux-ci sont flagrants, plus sa cruauté devient tape-à-l'œil. Comment continuer de se soucier des enfants qu'il a fait enlever et placer dans des camps de rétention à la frontière mexicaine alors que, le même mois, il menace de liquider des lanceurs d'alerte, force des sénateurs à l'acquitter face à des preuves de culpabilité pourtant accablantes et gracie le Navy SEAL Eddie Gallagher, accusé de crimes de guerre et condamné pour avoir posé en photo avec un cadavre ? Tant qu'il continue de jongler avec une multitude de balles, nul ne peut rester concentré sur une seule. Et voilà : tout cela n'est que poudre aux yeux.

C'est aussi par la cruauté qu'il exerce son pouvoir. Il l'a toujours brandie contre les plus faibles que lui, ou contre ceux que leur devoir ou leur dépendance entravait. Les serviteurs de l'État et les conseillers qu'il a lui-même nommés ne peuvent pas se défendre quand il les attaque sur Twitter, car ils risqueraient leur poste ou leur réputation. Ce qui empêchait Freddy de riposter, quand son petit frère se moquait de sa passion pour l'aviation, c'était son sens de la responsabilité filiale et sa correction, tout comme les gouverneurs des États démocrates, ayant terriblement besoin d'aide pour leurs citoyens pendant la crise du Covid-19, se sont gardés de dénoncer l'incompétence de Donald par crainte qu'il ne les prive de respirateurs et d'autres équipements susceptibles de sauver des vies. Donald a appris il y a bien longtemps à choisir ses cibles.

Donald continue de vivre dans l'espace trouble entre la peur de l'indifférence et la peur de l'échec qui a détruit son frère. La destruction a pris quarante-deux ans, mais les fondations avaient été posées très tôt, sous les yeux du petit Donald qui vivait de son côté son propre traumatisme. La combinaison de ces deux éléments – ce qu'il a vu et ce qu'il a vécu – l'a isolé autant qu'elle l'a terrifié. Le rôle qu'a joué la peur dans son enfance et qu'elle joue encore aujourd'hui dans sa vie est fondamental. Et le fait que la peur continue d'être chez lui une émotion dominante donne une idée de l'enfer qu'a dû être la Maison il y a de cela six décennies.

Chaque fois que vous entendez Donald parler de quelque chose en disant que c'est ce qu'il y a de meilleur, de plus grand, de plus fort, de plus extraordinaire (sous-entendu : grace à lui), il faut garder à l'esprit que l'homme qui parle est encore, pour l'essentiel, le petit garçon qui redoutait de se révéler différent de ce qu'on attendait de lui, comme son grand frère, et d'être lui aussi détruit en raison de ses insuffisances. À un niveau très profond, ses rodomontades et ses bravades ne s'adressent pas au public qui se trouve devant lui mais à une seule personne : son père depuis longtemps décédé.

Donald a toujours été autorisé à assener sans conséquence des affirmations générales (« Je m'y connais mieux que personne en [ceci ou cela], croyez-moi », ou la variante « Personne n'en sait plus que moi sur [ceci ou cela] »). On lui a permis de déblatérer sur l'armement nucléaire, sur le commerce avec la Chine et sur d'autres sujets auxquels il ne connaissait rien ; à peu près tout le monde l'a laissé essayer de fourguer des traitements pour le Covid-19 qui n'avaient pas été testés, ou se lancer dans une version de l'histoire absurde et révisionniste dans laquelle il n'aurait jamais commis d'erreur et où rien ne serait jamais de sa faute.

Il est facile d'avoir l'air cohérent et un tant soit peu savant lorsqu'on contrôle le message et que personne ne vous presse jamais de préciser votre pensée ni de démontrer que vous comprenez réellement les tenants et aboutissants. Que rien de cela n'ait changé au cours de la campagne, au moment où dénoncer les mensonges et les affirmations ridicules de Donald aurait réellement pu nous permettre d'échapper à sa présidence, met sérieusement en cause les médias (entre autres). Dans les rares occasions où il a été questionné sur ses positions et ses orientations politiques (pour ainsi dire non existantes), il n'a jamais été tenu d'exprimer une pensée sensée ou de manifester la moindre profondeur de vue. Depuis l'élection, il a compris comment esquiver entièrement ce genre de questions : les points presse de la Maison-Blanche et les conférences de presse officielles ont été remplacées par les « *chopper talks* », ces entrevues rapides avec les journalistes devant un hélicoptère vrombissant et prêt à décoller, qui lui permettent de faire semblant de ne pas entendre les questions indésirables dans le vacarme des rotors. En 2020, ses « briefings de presse » au sujet de la pandémie se sont rapidement transformés en mini-meetings de campagne pétris d'autosatisfaction, de démagogie et de manifestations d'allégeance. Il les a mis à profit pour nier les erreurs impardonnables qui ont déjà tué des milliers de citoyens, pour mentir sur les progrès réalisés, et pour désigner comme boucs émissaires ceux-là mêmes qui risquent leur vie pour nous sauver alors que sa propre administration leur refuse des équipements de protection adéquats. Pendant que des centaines de milliers d'Américains tombent malades et meurent, il présente la situation comme une victoire, une preuve de son formidable leadership. Et au cas où quelqu'un le croirait encore capable de sérieux ou de gravité, il balance un jeu de mots consternant sur les modèles (d'évolution de l'épidémie) et les top models, ou ment à propos de son audience sur Facebook. Et les médias refusent encore de se retirer du jeu. Les rares journalistes qui lui donnent réellement du fil à retordre, ou ceux qui lui réclament simplement quelques paroles de réconfort pour une nation terrifiée, sont rabaissés, moqués et, quand ce sont des femmes, qualifiées de *nasty* (« vilaines »). Du comportement destructeur précoce de Donald, activement encouragé par Fred, au refus des médias de le mettre au pied du mur, en passant par la volonté du Parti républicain de fermer les yeux sur la corruption quotidienne à laquelle il s'adonne depuis le 20 janvier 2017, une ligne droite nous mène au bord de l'effondrement de l'économie, de la démocratie et de la santé de cette nation qui fut grande un jour.

Abandonnons une fois pour toutes l'idée que Donald serait un « brillant stratège » qui a tout compris à l'articulation des médias et de la politique. Il n'a pas de stratégie, il n'en a jamais eu. Malgré le coup de chance qu'a été son avantage électoral et une « victoire » au mieux suspecte, au pire illégitime, jamais il n'a su sentir le pouls de son époque. Il se trouve juste que ses fanfaronnades et son absence totale de vergogne ont parlé à certains segments de la population. Si son comportement pendant sa campagne de 2016 n'avait pas fonctionné, il aurait continué sans rien changer, car mentir, jouer sur le plus petit dénominateur commun, tricher et semer la zizanie, c'est tout ce qu'il sait faire. Il est tout aussi incapable de s'adapter à des circonstances changeantes que d'acquérir une dignité « présidentielle ». Il est vrai qu'il a réussi à exploiter un certain filon d'intolérance et de rage inexprimées, ce pour quoi il a toujours été doué. La pleine page qu'il avait achetée dans le *New York Times* en 1989 pour appeler à l'exécution des « cinq de Central Park » – cinq adolescents noirs et latinos, un temps soupçonnés de viol aggravé avant d'être mis hors de cause – ne partait pas d'un profond souci de l'état de droit ; c'était juste pour lui une occasion en or d'accaparer un sujet grave, très important pour la ville, pour se donner l'air d'avoir ses entrées dans les pages influentes et prestigieuses de la *Gray Lady*, comme on surnommait le journal. C'était un étalage de racisme sans fard qui cherchait à attiser l'animosité raciale dans une ville qui en débordait déjà. L'innocence des cinq garçons – Kevin Richardson, Antron McCray, Raymond Santana, Korey Wise et Yusef Salaam – a été entièrement démontrée depuis grâce à des preuves ADN incontestables. Pourtant, à ce jour encore, Donald maintient qu'ils sont coupables : encore un exemple de son incapacité à abandonner un discours qui lui plaît, même quand celui-ci est contredit par les faits.

Donald prend toute contestation comme un défi et

en rajoute alors dans le comportement qui a mis le feu aux poudres, comme si la critique était une permission de faire pire. Une obstination que Fred appréciait parce qu'elle témoignait de la dureté qu'il attendait de ses fils. Cinquante ans plus tard, les décisions catastrophiques de Donald et son inaction désastreuse font littéralement des morts. Alors que des millions de vies sont en jeu, il prend les critiques sur l'incapacité du gouvernement fédéral à fournir des respirateurs comme des outrages personnels et menace de priver de financements et d'équipements indispensables les États dont le gouverneur ne lui marque pas suffisamment de respect. Cela ne m'étonne pas. Mais le silence assourdissant dans lequel se déploie un tel mépris pour la vie humaine, ou pour les conséquences de ses actes, digne d'un sociopathe, m'emplit de désespoir et me rappelle qu'au fond ce n'est pas Donald le problème.

Si nous en sommes là aujourd'hui, c'est parce qu'on lui a toujours tout passé, et qu'il a été récompensé non seulement pour ses échecs mais pour ses transgressions envers la tradition, les convenances, la loi, et envers ses semblables. Son acquittement dans le simulacre de procès en destitution a été encore une manière de récompenser ses mauvais comportements.

Les mensonges deviennent peut-être vrais dans sa tête aussitôt qu'il les prononce, mais ils n'en restent pas moins des mensonges. Ce n'est qu'une manière pour lui de voir jusqu'où il peut aller en s'en tirant. Et jusqu'à présent, il s'en est toujours tiré.

Le dixième cercle

Le 9 novembre 2016, au lendemain de l'élection, mon désespoir était en partie dû à la certitude que la cruauté et l'incompétence de Donald allaient faire des morts. Je pensais à l'époque que ce serait un désastre provoqué par lui-même, par exemple une guerre que l'on aurait pu éviter mais dans laquelle il se serait laissé entraîner. Je n'aurais jamais imaginé qu'il drainerait tant d'inconditionnels, prêts à encourager ses pires penchants, lesquels se sont traduits par l'enlèvement d'enfants avec l'approbation du gouvernement, la détention de réfugiés à la frontière et la trahison de nos alliés, entre autres atrocités. Et comment deviner qu'une épidémie mondiale surviendrait et lui permettrait d'étaler son indifférence éhontée à l'égard de la vie d'autrui.

La réaction initiale de Donald face au Covid-19 souligne son besoin de minimiser à tout prix ce qui est négatif. La peur – équivalent de la faiblesse dans notre famille – est aussi inacceptable pour lui aujourd'hui qu'elle l'était quand il avait trois ans. Lorsqu'il se trouve dans une situation réellement difficile, les superlatifs ne suffisent plus : il faut que la situation elle-même tout autant que ses propres réactions soient uniques, quitte à friser l'absurde ou le grotesque. Selon lui, aucun ouragan n'a jamais été aussi pluvieux que l'ouragan Maria ; « personne n'aurait pu prévoir » une pandémie sur laquelle son propre ministère de la Santé effectuait des simulations à peine quelques mois avant que les premiers cas de Covid-19 n'apparaissent dans l'État de Washington. Et pourquoi cela ? Parce qu'il a peur.

Si Donald a traîné les pieds de décembre 2019 à mars 2020, ce n'était pas par narcissisme, mais par peur d'apparaître faible ou de ne plus pouvoir marteler à l'envi que tout était « génial », « fantastique » et « parfait ». L'ironie étant que son incapacité à regarder la vérité en face a inévitablement conduit à un fiasco encore plus fracassant. En l'occurrence, c'est la vie de centaines de milliers de personnes qui est potentiellement menacée et l'économie du pays le plus riche de l'histoire qui risque d'être détruite. Donald ne reconnaîtra rien de tout ça, même s'il faut changer les règles pour dissimuler les preuves, et il se convaincra même d'avoir agi mieux que n'importe qui à sa place si, au lieu de deux millions de morts, nous n'en avons « que » quelques centaines de milliers.

« Toujours se venger de ceux qui vous ont arnaqué », dit Donald, mais souvent la personne dont il se venge est quelqu'un qu'il a arnaqué le premier… comme les entrepreneurs qu'il a refusé de payer, ou la nièce et le neveu qu'il a refusé de protéger. Et même quand il réussit à atteindre sa cible, il vise tellement mal qu'il provoque des dommages collatéraux. Andrew Cuomo, le gouverneur de New York qui a pris *de facto* la tête de la réaction nationale face au Covid-19, a non seulement commis le crime de ne pas assez lécher les bottes de Donald, mais surtout celui, impardonnable, de l'humilier en se montrant plus efficace et plus compétent, un vrai dirigeant respecté et admiré. Donald ne peut pas riposter en faisant taire Cuomo ou en annulant ses décisions ; ayant abdiqué son autorité pour mener cette bataille sur le plan national, il n'a plus les moyens de contrer des décisions prises à l'échelle des États. Il a beau insulter Cuomo et se plaindre de lui, jour après jour le véritable leadership du gouverneur ne fait que révéler en Donald un petit homme mesquin et pathétique, ignorant, incapable, dépassé et perdu dans son propre délire mégalo. En revanche, ce que Donald *peut* faire pour compenser l'impuissance et la rage qu'il ressent, c'est de tous nous punir collectivement. Il est prêt à refuser des respirateurs ou à voler des équipements aux États qui n'ont pas suffisamment rampé à ses pieds. Si New York continue à manquer de matériel, l'image de Cuomo finira par en pâtir, et tant pis pour les malades. Heureusement, Donald n'a pas beaucoup de partisans dans la ville de New York, cependant même parmi eux il y aura des morts à cause de son déplorable appétit de « vengeance ». Ce que Donald considère comme de justes représailles est, dans ce contexte, ni plus ni moins qu'une tuerie de masse.

Il lui aurait pourtant été facile de se poser en héros. Les gens qui l'ont détesté et critiqué lui auraient pardonné son interminable chapelet d'abominations s'il avait tout simplement demandé à quelqu'un de lui sortir le manuel de préparation aux pandémies de l'étagère où il avait été rangé après que le gouvernement Obama le lui avait remis. S'il avait alerté les agences compétentes et les gouverneurs des États dès les premiers signes que ce virus était hautement contagieux, avait un taux de mortalité très élevé et n'était pas en passe d'être maîtrisé. S'il avait invoqué le Defense Production Act de 1950 pour lancer la production d'équipements de protection personnelle, de respirateurs et d'autres matériels nécessaires afin de préparer le pays en cas de scénario catastrophe. S'il avait laissé les experts médicaux et scientifiques tenir des points presse quotidiens au cours desquels les faits auraient été présentés avec clarté et honnêteté. S'il s'était assuré d'un mode de gestion systématique et d'une bonne coordination entre toutes les agences qualifiées. La plupart de ces tâches n'auraient nécessité quasiment aucun effort de sa part. Il n'aurait eu qu'à passer quelques coups de fil, à prononcer un ou deux discours, et à déléguer tout le reste. On lui aurait peut-être reproché un excès de prudence, mais la majorité d'entre nous auraient été protégés et il y aurait eu beaucoup moins de morts. À la place, les États sont contraints d'acheter des équipements vitaux auprès de fournisseurs privés ; le gouvernement fédéral réquisitionne ces équipements, la Federal Emergency Management Agency (Agence fédérale des situations d'urgence) les redistribue à des prestataires privés, qui ensuite les revendent.

Pendant que des milliers d'Américains meurent dans la solitude, Donald se vante de la hausse de la Bourse. Pendant que mon père agonisait seul, Donald allait au cinéma. S'il peut d'une façon ou d'une autre tirer profit de votre mort, il la facilitera, puis il ignorera que vous êtes mort.

Pourquoi a-t-il mis si longtemps avant d'agir ? Pourquoi n'a-t-il pas pris ce virus au sérieux ? En partie parce que, comme mon grand-père, il n'a aucune imagination. Cette pandémie n'avait pas directement à voir avec lui, et gérer une crise au plus près ne lui sert pas à promouvoir sa rengaine préférée selon laquelle personne n'a jamais fait mieux que lui.

Alors que l'épidémie entrait dans son troisième puis son quatrième mois et que le nombre de victimes se comptait par dizaines de milliers, la presse s'est mise à commenter le manque d'empathie de Donald pour les gens qui étaient morts et les familles endeuillées. Le fait est qu'il est fondamentalement incapable de prendre en compte la souffrance d'autrui. Écouter les histoires de ceux que nous avons perdus l'ennuierait. Compatir avec les victimes du Covid-19 reviendrait à s'associer à leur faiblesse, un trait que son père lui a appris à mépriser. Donald ne peut pas davantage prendre la défense des malades et des mourants qu'il n'a pu s'interposer entre son père et Freddy. Et surtout, l'empathie n'a aucune valeur, il n'y a aucun avantage tangible à se préoccuper du sort des autres. Le journaliste David Corn a écrit : « Tout est transactionnel pour ce pauvre être humain détraqué. Tout. » C'est un tragique échec parental que mon oncle ne comprenne pas que toute personne, lui comme n'importe qui d'autre, possède une valeur intrinsèque.

Dans sa tête, le fait même de reconnaître une menace inévitable est une marque de faiblesse. Prendre ses responsabilités l'exposerait aux critiques. Être un héros – être bon – lui est tout simplement impossible.

On pourrait en dire autant de sa gestion d'une des plus graves émeutes depuis l'assassinat de Martin Luther King. Voilà une autre crise dans laquelle il aurait pu facilement triompher, mais son ignorance surpasse de loin sa capacité à tourner à son avantage la troisième catastrophe nationale à se produire sous son mandat. Une réaction efficace aurait supposé un appel à la cohésion, mais Donald a besoin de diviser. C'est la seule stratégie qu'il connaisse pour survivre ; mon grand-père s'en est assuré il y a des décennies en dressant ses enfants les uns contre les autres.

Je ne peux qu'imaginer avec quelle jalousie Donald a dû admirer la cruauté détachée et l'indifférence monstrueuse de Derek Chauvin tandis qu'il assassinait George Floyd ; mains dans les poches, regard insouciant rivé sur la caméra. Je ne peux qu'imaginer combien il aurait aimé que ce soit son genou sur le cou de Floyd.

Au lieu de quoi Donald se retire dans ses zones de confort – Twitter, Fox News –, distribuant les torts de loin, protégé par un bunker métaphorique ou littéral. Il déblatère sur la faiblesse des autres tout en faisant la démonstration de la sienne. Mais jamais il n'échappera au fait qu'il est et restera toujours un petit garçon terrifié.

La monstruosité de Donald est la manifestation même de la faiblesse profonde qu'il a cherché à fuir toute sa vie. Pour lui, il n'y a jamais eu d'autre option que de se montrer résolument positif, de renvoyer une impression de force, si illusoire soit-elle, car toute autre attitude est synonyme de condamnation à mort ; la courte vie de mon père en est la preuve. Le pays entier souffre à présent de la même positivité toxique dont mon grand-père a fait usage pour bâillonner sa femme souffrante, tourmenter son fils mourant et endommager de façon irrémédiable la psyché de son enfant préféré, Donald J. Trump.

« Tout va très bien. Pas vrai, cocotte ? »

REMERCIEMENTS

Chez Simon & Schuster, merci à Jon Karp, Eamon Dolan, Jessica Chin, Paul Dippolito, Lynn Anderson et Jackie Seow.

Chez WME, merci à Jay Mandel et Sian-Ashleigh Edwards.

Merci également à Carolyn Levin pour ses corrections minutieuses ; à David Corn chez *Mother Jones* pour sa gentillesse ; à Darren Ankrom, fact-checker exceptionnel ; à Stuart Oltchick pour m'avoir parlé de jours meilleurs ; au capitaine Jerry Lawler pour la merveilleuse histoire de TWA ; et à Maryanne Trump Barry pour toutes ses instructives informations.

Toute ma gratitude à Denise Kemp pour sa solidarité avec moi ; à ma mère, Linda Trump, pour toutes les formidables histoires ; à Laura Schweers ; à Debbie R., Stefanie B. et Jennifer T. pour leur amitié et leur confiance quand j'en avais le plus besoin ; à Jill et Mark Nass pour nous avoir aidés à perpétuer la tradition (JCE !).

À notre cher Trumpy, qui me manque tous les jours.

Je suis profondément reconnaissante à Ted Boutrous pour ce premier rendez-vous et pour avoir cru dans la cause ; à Annie Champion pour sa générosité et son amitié ; à Pat Roth pour ses retours attentifs et pour ce qu'il représente dans ma vie ; à Annamaria Forcier pour avoir été une si bonne amie pour mon père (je suis tellement contente de t'avoir retrouvée !) ; à Susanne Craig et Russ Buettner pour leur extraordinaire travail journalistique et leur intégrité, merci de m'avoir embarquée dans l'aventure. Sue, rien de tout ça n'aurait été possible sans ton obstination, ton courage et tes encouragements. Merci à Liz Stein de m'avoir accompagnée dans ce voyage et d'avoir rendu ce livre meilleur... et son écriture une expérience beaucoup plus réjouissante et moins solitaire qu'elle aurait pu être (et, bien sûr, merci pour Baby Yoda). Merci à Eric Adler d'avoir été là pour moi tout du long, de ses inlassables commentaires et de m'avoir soutenue chez le prêteur sur gages du coin. Merci à Alice Frankston de s'être impliquée dans ce projet dès le tout début, d'y avoir cru même quand moi je n'y croyais pas et d'en avoir relu chaque mot un nombre incalculable de fois. J'ai hâte de ce qui va suivre.

Et enfin, merci à ma fille, Avary, d'avoir été plus patiente et compréhensive qu'aucun enfant ne devrait avoir à l'être. Je t'aime.

ARBRE GÉNÉALOGIQUE DE LA FAMILLE TRUMP

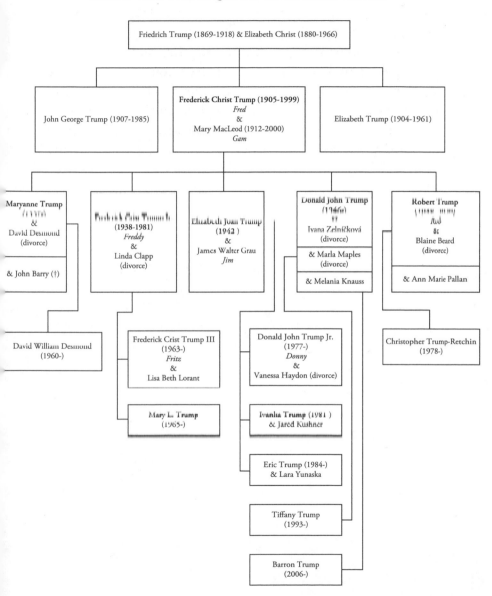

Friedrich Trump (1869-1918) & Elizabeth Christ (1880-1966)

John George Trump (1907-1985)

Frederick Christ Trump (1905-1999)
Fred
&
Mary MacLeod (1912-2000)
Gam

Elizabeth Trump (1904-1961)

Maryanne Trump
/ / / / /*/
&
David Desmond
(divorce)

& John Barry (†)

Frederick Christ Trump Jr
(1938-1981)
Freddy
&
Linda Clapp
(divorce)

Elizabeth Joan Trump
(1942)
&
James Walter Grau
Jim

Donald John Trump
(1946)
&
Ivana Zelníčková
(divorce)

& Marla Maples
(divorce)

& Melania Knauss

Robert Trump
( )
&
Blaine Beard
(divorce)

& Ann Marie Pallan

David William Desmond
(1960-)

Frederick Crist Trump III
(1963-)
Fritz
&
Lisa Beth Lorant

Donald John Trump Jr.
(1977-)
Donny
&
Vanessa Haydon (divorce)

Christopher Trump-Retchin
(1978-)

Mary L. Trump
(1965-)

Ivanka Trump (1981)
& Jared Kushner

Eric Trump (1984-)
& Lara Yunaska

Tiffany Trump
(1993-)

Barron Trump
(2006-)

Composition : Nord Compo
Impression en septembre 2020 Éditions Albin Michel
22, rue Huyghens, 75014 Paris
www.albin.michel.fr
ISBN : 978-2-226-45744-8
N° d'édition : 24262/01
Dépôt légal : octobre 2020
Imprimé au Canada chez Marquis imprimeur inc.